国家出版基金项目
NATIONAL PUBLICATION FOUNDATION

《三联经典文库》

第二辑

2012 年国家出版基金项目

三联经典文库
196

事业与成功

［美］马尔腾著　汪原放译

生活·讀書·新知 三联书店

图书在版编目(CIP)数据

事业与成功 / [美] 马尔腾著；汪原放译. -- 北京：
生活·读书·新知三联书店，2014.1
（三联经典文库第二辑）
ISBN 978-7-108-04694-9

Ⅰ.①事… Ⅱ.①马… ②汪… Ⅲ.①成功心理－通俗读物
Ⅳ.①B848.4-49

中国版本图书馆CIP数据核字(2013)第246635号

责任编辑 曹明明
封扉设计 蔡立国
责任印制 徐 方
出版发行 生活·讀書·新知 三联书店
(北京市东城区美术馆东街22号)
邮　　编 100010
经　　销 新华书店
印　　刷 北京鹏润伟业印刷有限公司
版　　次 2014年1月北京第1版 2014年1月北京第1次印刷
开　　本 787毫米×1092毫米 1/32 印张 11.75
字　　数 165千字
定　　价 43.00元

《三联经典文库》出版缘起

适逢生活·读书·新知三联书店八十华诞，为弘扬传统，接续文脉，回报读者，服务社会，我们决定策划出版《三联经典文库》。

1932 年 7 月，生活书店在上海创办，此后，读书出版社和新知书店相继成立。本文库第一辑、第二辑所选图书，来自于这三家出版单位及其分支机构，以及 1948 年生活·读书·新知三联书店成立后的出版物，始于 1932 年，截至 1951 年，两辑各一百种。此为第二辑，涉及政治、经济、社会、军事、思想文化诸领域，涵盖专著、文集、散文、小说、诗歌、传记、报道等体裁，既有直面现实、追求真理、讴歌真善美、抨击假恶丑的原创作品，又有引介世界各国先进文化、传播新知、开启民智的逐译之作，真实记录了那一代知识分子的思考与探索、理想与愿景和对中华民族文化传承与创新所做出的努力与贡献。

本文库所辑入各书，多为名家名作，在版本方面，以初版一印本或经著译编者审定、修订、增订过的版本为首选，因此本文库又具有较为珍贵的版本价值和收藏价值。

本文库还将编选续辑，使之成为恢弘文化工程。诚挚希望读者给予批评和指正，帮助我们完善编选工作，再现三联经典作品之风采。殊为遗憾的是，由于年代久远，一些原著译编者及其后人未能取得联系并奉付稿酬，诚盼版权所有者与我们联系。祈愿三联前辈所创造的精神财富能薪火相传，为中华文化的伟大复兴增光添彩。

《三联经典文库》编辑委员会

2013 年 8 月

凡　例

一、本文库为重排本，由繁体字竖排版改为简体字横排版。

一、以忠实于原作、整旧如旧为编辑原则，对当时使用的专有名词、外文译名，以及民国时期的语言和特色予以保留。

一、原书注释如旧，编者所出的注释，均以“编者注”标明，以示与原书注释的区别。

一、对原书残缺或字迹漫漶之处，以□示代。

一、对繁简文本转换时的“如右”、“见左”一类，对应改为“如上（前）”、“见下（后）”。

一、对原书中各种错讹脱衍之处，直接订正，不再以其他符号标示。

一、对数字、标点符号的用法，在不损害原文语义的情况下，做必要的规范。

一、本文库各书均前插原书书影、原书版权页和文库版“本书出版说明”。

一、本书出版说明的撰写，以客观中立为原则，扼要介绍本书的内容、版本流转、著译编者的情况。

本书出版说明

本书是一部励志类普及读物，是被誉为美国“成功学之父”——马尔腾为初涉商界的年轻人提供帮助和指导的著作。作者从知识、方法、教育和道德等四十二个方面提出了年轻人要想成就一番事业、获得成功所应注意的问题。作者指出，努力求学，不断加强自身修养，认真做事，是年轻人取得成功的源泉；同时，个人的品格培养也十分重要。如何选择职业，并在自己所选择的职业之路上奋力前行，也是关涉成功与否的一个重要考量因素。书中没有艰深的理论和枯燥的说教，对涉及成功的每个因素看似漫不经心的讨论，其实恰是作者源于社会生活的人生经验之谈。循循善诱，给年轻人带来切实的帮助。

本书由生活书店初版于 1938 年 4 月，当年即再版、三版。此次出版，即以1938年9月第三版为底本。

马尔腾（现多译作奥里森·马登）（1848-1924），美国成功学奠基人、励志导师，被称为“成功学之父”。《成功》杂志创始人。著有《伟大的励志书》、《一生的资本》、《思考与成功》等书。

汪原放（1897-1980），安徽绩溪人。1913年入上海亚东图书馆。1925年加入中国共产党，1927年任汉口《民国日报》编辑、经理，不久任中共中央出版局局长。第一次国内革命战争后，回沪任亚东图书馆编辑，致力于中国古典文学作品整理和外国作品翻译，首创对中国古典小说使用新式标点并分段进行整理，先后标点出版《三国演义》、《红楼梦》等十余部名著。编辑出版《诗经今译》，著有《回忆东亚图书馆》，译有《一千零一夜》、《鲁滨逊漂流记》等。

生活·读书·新知三联书店

2013年8月

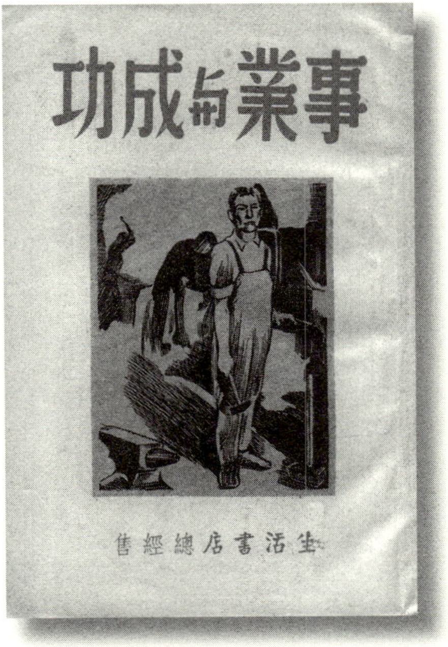

生活书店 1938 年 9 月第三版书影

事業與成功

每冊國幣柒角伍分
外埠酌加郵費

著者　O. S. Marden

譯者　汪原放

總經售　生活書店

漢口：交通路六十三號
廣州：漢民北路五十號
重慶：武庫街二十一號
香港：皇后道一七五號
西安　桂林　宜昌　天水
長沙　貴陽　萬縣　南鄭
成都　昆明　衡陽　南昌
梧州　蘭州　吉安　上海

印刷者　生活印刷所

中華民國二十七年四月初版(S)
中華民國二十七年九月三版(S)

總C027

原书版权页

目次

序

一个青年人，初进商界，他迎面便会遇到许多问题。在这个时候，正是他一生里最需要那聪明的有经验的人们和他谈论谈论的时候。他不但应该对于自己的能力要有自知之明，择得一种适当的工作，认真做去，一生一世，全力去干，并且应该研究研究他的老前辈，他的老祖宗，他的同路的竞争者，有什么特错大误的地方。有许多毫无经验的青年，他们往往认为这全是些很麻烦的事情，不肯去理会他，往往自出心裁，拿出他们的不曾试验过的不成其为计划的计划来乱干，结果是一塌糊涂，只有失败。

成千成万的青年人，做起生意来，总是失败，他们并不知道原因是很简单的，不过是因为没有人同他们谈论谈论罢了。他们的生意坏极了，但是，他们并不知道这是因为他们既没有健全的组织，又没有敏捷的手腕，而且对于许多小枝小节的事情从来不很注意的原故。他们对于他们的商店，或者是工厂，或者是公司，见惯了那一种情形，只知道照例行事，他们并不知道这不过是由于他们的精力衰颓了，他们的地位一落千丈了，他们的本身以及四周，早已种下了许多腐败的根苗了。

有许多人失败了，因为他们太不敏捷了。又有的失败于神经过敏。又有的把本钱都亏光了，信用也扫地了，因为他们对于朋友从来说不出一个“不”字。又有的人看见生意不好，总说运气太坏，时局不佳，弄得四周的空气全是失败的空气。又有的人的生意总做不进展，因为他们做起事来，从无规律，而且有头无尾。又有的欢喜舒服，从来不肯吃苦奋斗。又有的只死守着一桩事做，眼光也狭隘了，性情也孤癖了，人也老朽了，身体也受了创伤了。又有的失败了，因为别人对他说的话，他无不听从；又有的完全相反，别人的意见，无论是否，一概不依。又有的太过于自私了，从来不想一想对方的利益；又有的太过于慷慨了，连应该得到的利益也放弃不问，连本钱都亏掉了也不管。又有的人，对于一件小事，既已决定，还在怀疑；又有的人，对于一件大事，既不考虑，也不小心，便糊糊涂涂决定了。又有的人，从来不看时势，一味的固执着自己的成见，觉得他的父亲的，或者是祖父的方法，始终是他的最适用的方法。

著者现在想用尝试的态度，把“一点儿好”和“特别好”，理想的高低，事业的大小，成功与失败，种种的区别，讲来给大家听听。著者也很想把那做一个非常人容易，做一个平常人艰难的道理来说上一番。他觉得青年人的资本在他们自己身上——努力求学，认真自修，操练心身，举止端庄，常常是生气勃勃的，对别人的事情无不认真向前去做，这些，都是成功之母；至于品格，尤其重要，更是资本，信用靠得住，可以得到人的信任，常常总是快乐的样子，这个，第一要由于人品好。一个青年人要怎么样才能上进，要怎么样择业，业择定了要怎么样才能保持得住，这些，著者也想尽量的述说。他觉得一个位置，并不是一架赚钱的机器，却是一个造人的地方，他觉得商业的生活乃是一个求人类进步的大学校。不偷懒，对于无论那一件事情从来不是做一会儿便放手了，坦白率直，专心，有恒，这些，都是不应该忘记的。本书的许多章，不是为了某一个个人写的，但是，这一点商业的讲话，如果能给予许多初进商界去奋斗的青年朋友们作为一点进入社会的帮助与向导，那真是著者十分热忱的希望。

马尔腾（Orison Swett Marden）

一　乡下儿童的机会

“那很小的灰扑扑的茅屋是你们的所有的大人物出生的地方呵。”一个英国的大作家去游历美国的时候说。要证明他的话，就是要举几百个例子也很容易，因为，林肯（Lincoln）、格兰特（Grant）、加飞尔（Garfield）、格里来（Greeley）、喜替厄（Whittier）、克勒门兹（Clemens）、华那玛克（Wanamaker）、洛克凡尔老（Rockerfeller）、居鲁士（Cyrus）、飞尔德（W. Field）、毕拆（Beecher）、爱迭生（Edison）和卫斯亭豪斯（Westinghouse），他们都是大人物，人们的领袖，他们都是从小乡村、小镇市中来的，他们的体育、智育、德育，都在乡村镇市间得到了根柢，所以，他们无论干那一件事业，他们都成了那一件事业里的王。

据说，有一次，韦白斯特（Webster）到西部去旅行，一个土人对着他夸说了一番他的田里的稻怎么样怎么样的多，他的地上种的干粮又是怎么样怎么样的好，他的其他的水果蔬菜又是怎么样怎么样的丰茂，问着他的客人道："你们呢？你们新英格兰（New England）的沙碛不毛之地上怎么种呢？""人呵。"那位大大有名的律师回答道。

我们的大总统，有十七个是从小镇市上来的，小村庄里来的。前总统罗斯福（Roosevelt），虽然他是城里出生的，但是，他的仪表，他的态度，他的举动，得天独厚，所以特别例外的坚强而有力。

"细想起来，这真有点奇怪，纽约这个大城子里的本地人出色的怎么这样少？"文格特（Charles F. Wingate）道，"纽约一百名人表上，有九十多个都是乡下人。有许多大牧师、大著作家、大医生、大美术家、大商人，不是从这一州来的，便是从那一州来的。是不是都市里的人的身体精神远不及乡村里的人，所以和他们竞争不了呢？这种情形，在伦敦、在巴黎、在柏林、在欧洲的各大都市，也是一样，也是有许多从他州别省来的人，靠着他们的好身体、好精神、好能力，把那些在都市里生长的人都压倒了。”

有一个著作家，他细查了四十个成功者，只有八个是在都市中出生的。其余三十二个：二十二个是乡下的，十个是小村子里的。那二十二个乡下的，他们在儿时，完全是在乡村环境里生长的，三个在儿时便从乡下搬到小村子上住了，只有一个在儿时便从乡下进了都市了。但是，这四十个成功的人物，他们的年龄，平均起来，在十六岁的时候，都已经在都市里“各奔前程”了。

老天的赐予真不是人工所能为力的。我们的许多大都市真个要崩坏了，大都市里的种种不自然的条件真个要使许多大都市非崩坏不可了，如果没有少壮的、诚实的、富有精力的男男女女，继续不断的从乡村镇市间进到了都市里面。人工的成就决不能供给这种的要求像那熟食铺子里供给饮食一样。没有太阳所照着的大地，轻风所吹着的高山，便没有了人们与面包了。

最新鲜的空气，到处可以呼吸，乡下的儿童，肺部是开张的，肌肉是结实的，都市里是没有这种幸福的。种地、耕田、挖草，无一件不使他们的身体强健。田里真是一个大健身房——一个乡村师范学校。什么工具，什么玩具，那里有现成的拿来用呢，那里去一买便得呢，只有自己做。许久机器损坏了，他要跑来跑去的，看看毛病在那里，修理起来。他的智慧，他的一切的发现发明的力量，无时不在练习。他既没有修理器械的工具以及技能，什么地方出了毛病，他应该立时立刻便动手修理，往往因此而成为一个手艺很好的工人。

撇开身的健康、手的敏捷不说，一个乡下的儿童的生活还有许多说不尽的好处。他生活于大自然里面，他所接触的，他的眼睛里所看得见的，任何方面，无非是天然的、真实的。他觉得人生应该是处处诚实的，一个都市里的儿童却不能这样了。他是生活在一个永远存在的真实的学校里，云的变幻，风景的可人，四季的变换，无一样不使他能够明白了解人生的意义之伟大，如果他对于这些印象能够神领而心会。雄奇嵬伟的高山峻岭，使他感到生之意义的广大。有些耸入云际的奇峰，也能养成他的高尚的人格。蜿蜒曲折的深广的河流，使他了解和平与恬静的重要。一切的小虫、小草、牲口，它们的生活，处处使他们的创造力也能够因领会而加强。至于不知道说话的家畜，那种母子之爱真无所不至的情景，更使他们能懂得人类之爱真是一种最重要的功课，真个是伟大无比的。

他所生活着的简直是一个大规模的神奇的化学试验室，他能看得见田地上的种种生产的奇观，他能看得见泥土里的花草树木的色香味，他能看得见人们与畜牲赖以生存的食物之产生，以及供人们作千百种用途的木料从何而获得。美丽的花之开放，奇异的果子汁之源源而来，一草一木的怎么样长大，一切的奇怪的小虫、蜜蜂、鸟、别的野兽之活动，各种各样的材料被人们怎么样使用，——所有这些，无一样不是实验的最好的资料。这些，都是一个乡下的儿童的创造力之培养的来源，他的对于日常生活的特别常识的由来，以及他的对于某一件事便有某一种适当的应付的方法的根由。

这个自然也是无疑的，一个田间的儿童，没有一个不是在睡里梦里都在梦想着都市里的天大的机会的；他有时候不免也对于他的环境、处境，感觉着渺小而狭隘；有时候也不免对于都市里的某一种成功胜利的光荣，在乡村里、田间，无论怎么样是没有的，制不住他自己的一点雄心。大商店、大图书馆、大读书室、自修补习的机会，像那办理得极好的日校和夜校、青年会（往往有夜里的大学），以及其他的许多专门学院，这些地方，有成千成万的人们去追求他们的知识，满足他们的欲望，这都是一个乡下的儿童无时不在羡慕着的。总而言之，一个大都市，在乡下的儿童的心中目中，有时候真是充满了无边的机会的大海。他有时候不免也觉得他这样老在乡间，他的宝贵的光阴，真个是好像压在石头下面，送在树林中间，葬在硬土里面一样的糟蹋了，埋没了。

但他应该明白，花冈石的小丘、高山、小河，在他看来，好像无一样不是他到达那成功之路的障碍物。其实，他的魄力的养成，他的脑子里、筋肉里、血液里，无时不在受着它们的锻炼，这个，于他的将来的成功，会使他更有把握的。他还应该明白，他将来能干一番事业，能有所建树，能为国出力，为国家做一点事情，全靠着他在乡村间随时得到了他的气力、精力、智慧、聪明，以及才智。他还应该知道，有许多大银行家、大律师、大商人、铁路专家、大政治家，他们能做到那样的地步，那全是他们幼小的时候在乡村间已经得到了训练、锻炼的机会的后果。他不应该抹煞事实，他能有很大的成就，那全是他生于乡间、长于乡间的赏赐。他实在不应该忘记，他在乡村生活中，应该随时锻炼意志，操练体力，他日进了竞争剧烈的都市，他才能有应战的本领。有许多人，只知道工作，只知道竞争，只对人事上认真，对于自然异常忽略，他并不知道在这种情形下面，被淘汰的真得太多了。他们真个不知道幸福的获得是要经过千辛万苦的。

在乡村间的儿童们，在小镇市间的儿童们，你们不要愁你们毫无用处，也不要愁你们决没有成功的希望。许多大企业、大实业、大商业，正在追求需要着小乡村镇市间的微贱的人们呵。

乡村间的儿童们真应该只计锻炼他们的身心，练习他们的技能，机会来的时候，他们便可以跳出范围很小的地方，进入那竞争异常剧烈的都市去显一显他们的身手了。

如果一个乡下的儿童要把自己铸造成器，他是不会梦想都市里的天大的机会的，他是不会急急的要走进大图书馆里去的，进入大学校里去的；他会安于他的眼前的低微的境遇，狭隘的环境，像林肯利用他的一样的。随便一部什么书籍，到他手里，会视为异常的珍贵，读一部书，便像由低微的境地忽然接近了进入机会之门的第一步了。如果他下了决心，一定要在世上干一番大事，无论他遇到那一件好像是阻止着他，障碍着他，使他灰心的事情，他都会看作这是他提高他的地位的必由的一个阶段。

纽约的大牧师扑特（Potter），问到他关于乡下与都市的机会，比较起来，究竟怎么样的时候，他回答道：

> 我们美国的生活有一种特殊的现象，就是有许多乡下的青年人都被赶进都市里去了。有许多日报里，价值不高的杂志里，时常有许多惹人注目的文字，对于许多青年人，很能惹起他们的注意，使得他们不安于乡下的生活。他们一心向往的便是都市，只要可以勉强搒挡前去，无论怎么样，他们都进入都市里面去了。
>
> 其实，位高金多的生活，只有某种有特别机会、特别能力的人才能得到。大多数的人，

只该安于他们的普通的地位；在纽约，在芝加哥，这种的位置真很多。但是，在大都市里，找事的难处，委实可怜，这却是不可遮掩的事实。旅馆里面住着的找事的人真个满了。

这是真的，这种失败的原因，大半是由于个人的本身问题；但是，有些时候，大错铸下来了，有的却是由于他的弱点太多了，有的却是由于他的力量太有限了，又无经验，遇着特别困难的时候，他实在吃不住，应付不了，解决不了，这却也是事实。人是必定要谋生存的。生活的困难，生活的压迫，把他压下头了，压倒了，他有时候不得不走上歧路去了，走上颓废的路去了，甚至于做下非法的事情来了。一个毫无经验，又不曾受过相当的训练的乡下的孩子，他对着他的家说了一声再会，满怀希望，向着都市里去了。他那里知道都市里面是很危险的，几年之后，他的性格，他的身体，因为竞争剧烈的关系，或者损伤了，毁坏了。他的母亲爱他是无所不至的，在这样的情形下面，怎么安慰她呢！她在老年的时候，还有什么生人之趣呢？这不是一种很大的惨剧吗？在我，觉得美国的生活实在没有比这种事情更伤心的了。在家里，在故乡的社会里，一个小孩子大概还可以做成一个还不错的人。在都市里，他的体力恐怕不够应付一切，对于一切的引诱，坏事情，恐怕不见得有抗拒的力量！

不错，像纽约那样的大城里，也不知道有多少青年人的机会。受过教育，有一技之长的青年，到处需要。可是，一个青年人，培植成功，何等艰难；但是，在城市里，叫他的血抽干，筋肉消瘦，体力衰败，比什么还容易。而且，一个都市，在许多乡村间长大的好青年看来，那里必定是可以高升的、上进的，那里必定有给他出人头地的所在，在故乡却是万无希望的，于是，有好身体、好性格、忠实可爱的乡间的青年人终于都到了城市里来了。

是的，有许多真个达到了成功的地步了，但是，他们的代价，委实不少。无论那一种典型的城市生活，都像一个马达，把马力要开得很足。每天，他努力做一点工作，游息一会儿，让他恢复疲劳；但是，年长月久的，机器终于像要损坏了。最后，衰败的地方一一呈现出来了，或者是脑筋坏了，或者是某一部分出毛病了，他已经是一个无用的人了——往往还不曾到那无用的年龄的时候，他早就无用了！怎么好呢？接他的手的人成了问题。只有叫那些在故乡培养得很好的青年，又有志向上的，十分愿意用他的全力到城市上去干事的青年，去接他的手。可怜呵，又一块肥肉，一个牺牲者，连皮带肉，并送在那都市的贪得无厌的口里去了！这凶猛的巨兽，他无时不在张口而待，青年人的热忱，青年人的精力，被他吞噬！

都市里的补充兵、后备兵，他们是很危险的，既会失掉他们自己的思想，又会失掉他们自己的见解、立场、观点。在乡村里，有充分的时间，可以前思后想；在都市里，这里也是有趣味的，那里也是有趣味的，一个青年人，

> 就应该随时随地的留心、考虑。他应该时刻想着自己，记着自己，自己的畏处，总该努力保持，不要连自己的本分都守不了，保不住。他应该非常用力，做到简单朴素，这委实是一种力量，不要学那些不好的观念、不好的样子、不好的服饰；他应该记住，我是一个什么样子的人，我便应该是一个什么样子。乱七八糟的崇拜是很多的，——黄金之神、权力之神、才能之神、学问之神、其他各种各样的神，——你应该认定那一种是对的、好的、不错的、有用的、标准的，努力奋斗。如果老是半嬉半做的，对于心的修养、身的锻炼，含含糊糊，随随便便，到了后来，好像他已经征服了都市了，实际上却是都市葬送了他了，他所得到的却是毫无用处的。

帕克吓斯特先生（Charles H. Parkurst），他是朴特司伯特林（Presbyterian）的牧师，市政的改革者，他劝普通一般的乡下青年人还是在家乡的好。他说：

住在乡村间还是到都市里去，这是一个很大的问题，也是一个很复杂的问题。不过我的意见，我是不赞成乡村间的青年人向都市里跑的。尤其是普通一般的青年人，他们在乡村间，可做的事情实在太多了，而且前途是很有希望的，我更不赞成他们离乡他去。不错，特别人才，我们是很需要的；但是，乡村间，需要他们，也像我们一样。况且，有许多人，在乡村间，他们的机会有两个，进入都市，他们的机会反而只有一个了。生活程度的高低，的确是根据工资的收入的。在都市中，多花一块钱，不觉得；在乡村中，省一块钱，比较容易。普通的人实在应该住在乡间。普通一般人对于这种平凡、悲惨、诱惑、罪恶的漩涡，总是远之的好。大企业、大公司、托辣司，现在，正在吸收吞并小商业。大公司、大组织，他们是无魂的，你对于他们，不要以为还有一点弟兄之爱。竞争的剧烈，正在一天一天的加甚、加紧、加凶，益形尖锐化。这种的竞争，不比从前的时候了，成千成万的人们的心，都给他们毁坏了，人是什么东西呢，已经是比机器还不如的了。什么银行，什么商店，只要他一天扩大似一天，人们只能有一件事情好做了，便是，放出他的全身的本领来，赚钱、赚钱。我们所要的是齿轮，不是车轮。

二　资本在你们自己身上

要做生意，第一要紧的是资本，资本却是在你们自己身上。资本的获得要看你们的天资，你们怎样展开你们的力量，你们决定要干那一件事情，要对社会的那一方面去服务，认真努力，一丝不懈的去干。

做生意做得好，做得成功，自然要靠人的本身力，你有多大的本身力，你能成就多大的一点事业。一个青年商人，他预备将来要干那一件事业，他在迟疑不决的时候，他的精力，应该赶紧向着那一件事业方面，随时去注意、研究，把应付那一件事业的本领，早早的努力积累起来。

一个建筑工程师，他决不能不先把图样打好便砌砖了。一条铁路，决不能向着随便一个什么地方乱铺起轨道来。一个雕刻师也决不能随便拿起一块大理石来乱雕乱刻，雕得不成样子。总而言之，无论那一件值得做的事情，要做成功，第一要有计划，第二要有准备。你以为环境不管怎么样复杂，你另外还有一种什么别的办法可以把一件什么事情做得成功吗？一切的历史上，一切的传记里，都没有这种的事实，都和这种的猜想是恰恰相反的。

在世界的历史上有一个位置的人，无论男女，只要干了一种什么事业，没有不是在青春的时候便播下了种子，到秋收的时候才有很丰富的收成的；如果有的话，那真是极少数极少数的例外。

任何一个做了一件在水平线上的事业的人，在他的幼年时代，青年时代，没有一个不曾深深的打下了一点根柢，免得后来遭遇着老大的失败的。

有许多青年人，急急的要做工，急急的要做生意，我们的劝告是，第一是不要存很大的希望，然后一点一滴的增加成功的资本，怎么样求学，怎么样学得种种的方法，再预备干他一番事业；因为，以前，世界上真不像现在这样的急迫，这样的大声疾呼的需要那受过教育、受过训练的人们，那有很大的魄力、有高深的学识的人物的。

“这个时代，”马边先生（Hamilton W. Mabie）说，“是受过训练的男子的时代，是受过训练的女子的时代。这一点，是我要写出来让你们记在心头的。在我们国内，的确有一个时期，机会很多，要做的事实在不少，无论是那一个男子，那一个女子，只要心术是好的，性格是好的，手脚也还灵活，他或她都能得到相当的成功。我不是说，这个时期已经完全过去了。我也很希望这一个时期最好不要完全过去，还要延长一点。但是，我不能不告诉你，如果我是一个青年，如果我是一个青年女子，在今日，要我走到外面去做事，我实在有点害怕，不敢去，除非我有过一个受教育的机会，除非我对于我想去做的那一件事情的确有一点心得，的确有一点把握。我告诉你罢，现代生活里的最悲惨的事实要算那些受过一点一知半解的教育的男女了，那些受过一点半生不熟的训练的男女了。有许多男女，这件事也想做，那件事也想做，到了手里，一件也不知道怎么做才好，这不是很悲惨的吗？”

当然，有许多青年是没有力量走进专门学校里去的。而事实上，他们又还要做工奉养他们的父母，瞻顾他们的亲戚。但是，他们应该在空闲的时候，努力自修、自学。如果在一年之内，每天能学习一小时，专心一致的学习你所需要学的那一门，不要分心，年长月久，所得的便也实在可观。一天读书一小时，专心一致，比起东翻西阅的浏览来，所得到的不知道要多到什么地步哩。

随便那里，只要你看见一个青年人是在那里渴望着他的学问进步，他的生活进步；只要你看见他无时不是在利用他的空闲时间，注意着那些与他的生意有关系的消息，与他的职业有关系的事件，把他的地位怎么样提高；只要你看见他无时不是那么高高兴兴的，眼灵手敏的做事，而且，对于任何一件事情总是有始有终的做，从来不做一会儿便丢手了，有头无尾的，你可以断定，这个小孩子，他的质地一定是很好的，他将来一定会成功的。

有许多地方，我们会看见许多身体很好的男子与女子，他们的确都能在世界上干出一番事业来，如果他们都曾受过教育，如果他们对于某一件事情有过一种特别的训练；但是，他们还是永远陷在平庸的状态里面，甚至于都老大失败了，这完全是由于他们的起点错了。他们想着，高位置，他们也是有份的，也是可以插足的；真的，如果他们那样做，有的时候，莫名其妙地，他们也许会成功。不过，到了后来，他们才觉得他们的学力实在是不够了，从前有种种求学的机会，可惜都错过了，现在，悔已迟了。这是一件何等困难的事情，心已经不很活泼了，脑筋也好像不很能负责任了，这时候，才来自修，才来教他自己。如果在青年的时候，心灵手敏的，做起这种功夫来，那是何等的容易呢！

著者时常接得着许多中年人的来信，说他们在青年时期把大好的求学机会错过了，是很悔的；又有的说他们眼看着大好的机会走掉了。这些人，钱是有的，社会的地位也是有的，照理说来，他们一个个都应该是出类拔萃的成功者了；但他们的年纪一年大似一年了，因为一点学识也没有，他们所受的刺激是很大的，时时觉得烦恼。一个年纪很大的人，又有财产，又有才能，但是，因为没有受过专门的训练，学力不够，对于有许多工作，有人味儿的工作，没有一件能做，这真是很可悲的。这样的人，如果稍有头脑，自己知道没有什么能力，他只有流于遇事退后的路上去了；有的时候，他索性东西漂泊着，做一个一无所能的人了。

这样的人，在美国是很多的，有的拥有几百万家当的人，败落的时候，简直是一无所有。这样的人，多数是不曾受过充分的教育，他简直不知道什么叫做精神上的满足，在青年的时候，全副精神，又都用在走进商界里面大发其财去了。这样的人，过了三十岁以后，要想再来养成求学的良好的习惯，那是几乎不可能的了。因为到了那种年纪的时候，他已经老大，不如青年时代了，他的脑子里，已经有了各种各样的思想了、观念了、印象了，便算他是特别努力的，一定要求知以饱足精神上的欲望，老实说，一百人当中，足有九十九个是不成功的。

这些不曾受过教育的人，最可悲的是到了中年的时候，还是一事无成。教育自然是他们所最需要的，但他们要受教育的机会早已过去了，他们境遇的苦恼，比起其他的也算获得了部分的成功的那些人来，或是已经赚了钱，或是已经争得了一种势力了，还不如多多了。精神既已不能集中，自信力也没有了，经过千辛万苦而得来的一点酬报，又都跟着青春消逝了。“因为不曾受过教育，不曾经过适当的训练，所以失败了。”这真是这些不幸的人们的最好的一个墓志铭。

无论什么人，他应该知道，平时努力求学，日求进步，为的是要在那遇到紧要关头的时候，只有靠着学力才能够解决一切的问题。一个土木工程师，做平常的事情，只要拿出他的一半本领来，便可以做得八九分过得去了；但是，遇到特种的工作，像把尼亚格拉（Niagara）或密士失必河（Mississippi）上驾起很大的铁桥来，或是像把某一座山凿通隧道开火车，或是其他的很大的工程交在他的手里，那么，他必须把他的所有的本领、学识、经验，一齐都拿出来了。他身上有多大一点本领，多大一点能耐，多大一点资本，这一试便可见高下了。一个商人，在平常的时候，他只要放出一点功夫来，便可以平平安安的过去了；但是，他应该时时刻刻的准备着，提防着紧急的时候、大乱的时候、不景气的时候。他的工夫好丑，要在这种特别困难的时候试一试才能知道。一个青年人，初入社会，必定要充分的准备。在平常的时候，一点普通的教育，已经很够应付了；但是，遇到特种难关的时候，事业已经很发达了，在他下面的雇员已经很多，他的才干便要拿出来了，这时候，他的学力够不够，也是一试便会知道的。别的商人，他们在少年的时候并没有多大的好机会，遇到不景气来的时候，他失败了，但是，他依靠着他的一丝不乱的心，有时候也能打开僵局，应付得过这一种非常的情形的。

蓄积起来的权力就是资本，就是魄力；狂风暴雨袭击来了，一只小船能够平平安安的逃过，全靠船舱里面有许多斤两很重的压舱的东西。所谓蓄积起来的权力，真是成功之母，这种的权力，如果你特别的注意与留心，也需要一天一天的，一周一周的，一月一月的，一年一年的才能积累起来。这是一种特别的技能，任何人都不是生来便有的，要得到这种才能，全靠努力的追求。老实说，这个不是金钱买得来的，全靠假以年月，苦学，忍耐，努力的练习。但是，要苦学，要做忍耐的工夫，要努力练习，都应该在年轻的时候，不然的话，秋收的时候到了，种子都会无收的。

这种的力量，这种潜在的力量，在你的性格上是看得出的，在你的左右的人们的眼里也是看得出的，在你的才能上面也会表现出来的。不过单只一味的把权力积累起来，以为成功可必，那也是不成功的。

如果美国的青年肯听我的一句忠告，最好是“伟大”两个字。这是安极乐（Michael Angelo）去看他的一个朋友、一个画家拉斐尔（Raphael）的时候，恰好他出去了，他就在他的书房里的画幕上写上了的两个大字。拉斐尔确实是没有其他的需要了，他需要的只是伟大了。他得到这两个大字，不是胜读万卷好书吗？我愿意每一个青年人都牢牢的记住这一个座右铭。把它挂在你的房间里面，把它挂在你的店里，把它挂在你的办事间里，把它挂在你在那里面工作的工厂里面，把它挂在你抬头便会看得见的地方罢。时常对着这两个字沉思一番，默想一番，你自然更能博大的，更能高深的。

你要干一桩事业，最困难的是不能时时刻刻的有进步。你离开学校的时候，你觉得很有味，也觉得负责任真是一个不成问题的问题，并且觉得无论是什么大事业你都能干，你真是满怀希望。你想着，你还应该自修自修，再求一点进步；你对于社会生活是异常欢喜的；你觉得理想的家庭真有趣味；但是，你干了事业以后，或者是得着了一件什么事以后，四面八方的引诱都来了，使你真不能安心读书了，使你简直不能再有所作为了。甚至，使你成为一个陈腐的人，使你一日日的下流，使你跌到坑里去了，沟里去了。甚至，日常的工作都不能做了，只做一小部分的呆事，你也觉得很困难了。除非你做的工作是你十分欢喜的，异常感觉兴趣的；否则，如果是你所不欢喜的，你简直一点不能做了，那么，你一生一世的最高尚的快乐、幸福，老实说，会从此便断送干净了。除非你再下一个很大的决心，时时刻刻的自省，要好，上进；不然的话，你的年纪一年大似一年，不但毫无进步，而且只有退步。年纪一年年的大起来，本领却不能一年年的跟着大起来，这种的生活，便是失败的生活。

下决心罢，不管你已经发了财不曾，不管怎么样，有一件事，你是非干不可的，——就是，要时时刻刻的有进步。怎么讲呢？就是，不要白放一天过去，必须一天有一天的进步，学问方面的进步，经验方面的进步，智慧方面的进步，种种方面的进步。这样，如果你的财产没有了，如果你的运命不济，如果你的希望不能实现，如果你的雄心遇到了阻碍，你只要各方面都有了进步，你仍旧是可以恢复的，富有的。这是任何人把你夺不去，抢不了的。你满身潜在的力量是会展开的，你的才干，也不会葬送在你的口涎围之下的。世人都会相信你，虽然你没有钱，没有银子，也没有金子，你依旧还是会富有的：一来是，坏命运再也打不倒、困不住一个有真才实学的人；二来是，身上所有的无价之宝的本领，不是水火所能毁灭的。于是，你终于能成为一个有能为的人。

三　个人的资本

一个青年人，走进商界里面去的时候，有一种资本，他非随时预先充分的准备不可；否则，他会永远不能得到，那便是——健康，学问，忠信，常识。

爱迭生说过："特识比起常识来，特识的用处，不及常识一半。"学问与天才真是异常可贵的；但是，普通一般实事求是的人，如果他有一点普通的常识，拿来应付一切的疑难，解决一切的问题，比起那些学者来，比起那些有天才的人们来，他在生活奋斗的过程中，实在还要高明得多。学者诚然能够求他们的美丽的思想之实现，诚然能够使他们的理想的境界成为事实；天才者也诚然能够发现自然的秘密，叫电气工作，甚而至于可以进入别的星球；但是，如果没有常识，他们的假设，他们的理想，对于日常的生活之解决，简直是丝毫没有用处的。你有一肚子的学问，一脑子的本领，又有非常的才干，除非你还有难能可贵的常识，拿它来应付一切的困难，你始终是不能不受环境的支配的，也不能不依赖他人的，甚而至于连你的生活也是不能维持的。德国有一句非常有力的俗语，很有意义，道是："你的两只眼睛可以死盯住明亮的天星，但是，在这个时候，你却不要忘记点上你的屋子里的蜡烛。"我们把常识从来是看作不很重要的，看作是很平常的；真的，它真是平常而又平常的。可是，有许多人，时常做错事，时常失掉了自己的立足之地，时常因为没有一点常识的原故，毫无进步，而他们并不注意，并不留心增加常识，他们一错再错，终于把成功的机会也失掉了，一面还在怪着环境不好，境遇不好，命运不好，所以倒霉，他们始终不知道，不明白，这些错误，完全应该由他们自己负责。

不但常识如此，其他的特长也是一样。一个人的最好的机会全靠他自己去造就。我们国里，有成千成万的青年都在追求着他们的机会，他们总觉得大好的机会是不易得到的，全靠他们去东寻西找。老实说罢，不问你向那里跑，不问你的祖宗是谁，不问你进过什么大学，什么专门学校，不问是谁在帮助着你，你的最好的机会却是在你自己身上。别人帮助你，那是空的，那与你是无关的，你是一个什么样的人，你自己要怎么样就怎么样，这个是最可靠的。养成靠自己的习惯，对什么事都要有决心，要怎么样便怎么样，这个是最有力量的。拐杖是跛子用的，不残废的壮健青年，要它何用？大凡要干事的人，要达到某一目的、某一境地的人，如果他的心目中总在希望着有一根拐杖，老实说，他很难走得远路，也很难得到非常的成功。

总而言之，有价值的本领，都应该收集在你自己身上。我说的是要你有内在的富有，不在外表。譬如说，银根奇紧，营业不振，水灾旱灾，商场里来往的欺骗，种种不正当的袭击与夹攻到来的时候，你能应付过去，不至于一败涂地。总而言之，你的最大的投资必须是你自己的——要有一副好身体，要有勇气，要有和蔼可亲的样子，要有不群不凡的气概，无论男女，要有人格。

无论你遇见谁，谁都知道你是有本领没有的；因为，在各方面都会看得出，在你的眼睛上看得出，在你说话的时候也看得出，在你所做的事情上面也看得出，至于你有没有热忱，这个与社会是很有关系的，更没有不是一看便知道的。真的富有，要像玫瑰花一样，它的美丽的颜色，它的芬芳的香味，任何一个走过的人，都能看见，都能闻到。它对人的好意是不加限制的，它一点也不怀私；它所有的，它能赋予人人。

这是很使人惊奇的，也不知道有多少人，在他开始进入社会的时候，急于成功，连许多很好的资本，他却都糟蹋了，这个是于他的将来的成功有非常的妨碍的。任何一个人，在他开始干他的事业的活动的时候，他多少有一点脑力，有一点体力，有一点忍耐力，有一点才能。这是任何一个人都应该有的一点可贵的遗产。这点遗产，将来是很有用的，如果糟蹋了，不可惜，委实太短视了，太无远大的眼光了。连体力的资本也都糟蹋了，试问可以拿什么来赔偿？

我们真很生气，一个青年人，天生有一点财产在身，但是，他并不去过那正当的生活，却去过那放纵淫逸的生活；连恢复疲劳的睡眠的时间也都浪费了，连大好的机会也让它随随便便的走掉——这个，比起糟蹋来还不知道要坏上多少倍哩！

这是一件何等可悲的事情呢？还有比这个更可悲的事情吗？身份也失掉了！聪明才智都弃绝不顾了！最要紧的成功之母，人格，也都丧失了！

一个生气勃勃的，又和蔼可亲的人，真有许多说不尽的好处。任何人和他接触着，感到的无非是快乐、高兴、有味、有生气、有神来之力。有这一种人品的人便有一种无形的很大的资本。

有谁跑到你的屋子里来查看查看你的货色堆积如山，或是空空如也呢？有谁来管你到处有多少投资呢？有谁来问你有多少良田呢？只要你的人品好，名誉好，什么地方都是知道的。这是你的一封信用很好的介绍信。你的成功，你的失败，全靠这一封介绍信。

人品好、名誉好的人，我们会常常的遇到，他的富有，真是不可以言语形容的！一个有百万臭钱的富翁，比起一个有好名誉的富翁来，真个如同是矮子遇见长人了！一个可怜不知道用一种什么不正当的方法发了一点横财的人，站在一个没有钱的有威严的人物面前，相形之下，多么卑陋！多么苦恼！一个脑子富有的人，有本领在身的人，真能叫一个头脑冬烘，奇形怪状的发了横财的富翁羞愧而死。我们的青年，在家庭里，在学校里，如果不教他们知道人格的价值，人格的重要，任何时任何地是离不开的话，那真是一件天大的不幸的事情！

只要我们有时间，有精力，应该不吝惜地用在求名誉的富有上面去，这个不但是有益于己，而且也有益于人。

不管你的身体像样不像样，只要你有了种种美德——博爱、热忱、坦白——无论你跑到那里去敲门，门一定会开着欢迎你，任何一个地方，用不着什么预先的介绍的。任何人都有一个美丽而甜蜜的心，都有一点性灵。一个真诚流露的人，我们虽然不认识他，虽然不曾经人介绍，我们觉得私心实在已经早已仰慕他了。一个富有魔力的人，真能叫灰心丧气的人不灰心丧气，顽固执拗的人不顽固执拗。

我们在社会上，应该锻炼这种崇高的人格，像那探海灯似的，光芒四射；应该留下一点与日月争光的足迹；应该留下一点幸福的遗痕。我们的一言一语，一举一动，要像是在散布快乐之花，这是康庄大道，这是最大的成功，这才是一个伟大的工作。时时梦想着积聚那冷酷的、无情的、卑陋的硬货，大洋钱，白花花的银子，终不是事！

四　择业

“我应该怎么样解决我的生活问题呢？”这一个问题，无论那一个青年，他迟早要替他自己解答。不问是那一个青年，如果他没有正当的工作，他决不会享受得着生之乐的，也决不会觉得什么生活才是一种真实的生活。

拣一件又干净，又有益于己，又有利于人，又有意义，又很高尚的事业去做罢。如果有一点怀疑，无论是一件什么事情，赶紧丢掉它，不要干的好；因为做那些不很好的生意是不很高明的。有许多生意，一个卡内基（Carnegie）也是做不成功的，一个皮波狄（Peabody）也是做不好的。拣一件可以扩充的事情去做罢；拣一件能够使你进步的事情去做罢；拣一件能够使你的前途远大的事情去做罢；拣一件有自修上进的机会的事情去做罢。如果可能的话，有损你的身体的事情不要去做它，夜里和星期日还要工作的事情不要去做它。你不要以为你不做，自有别人来做。让那些人去做罢，你，你自己，总不要去负那一种的责任。错的事情总不要去做它，对的事情总是做去。一个星期要做上七天的工作，夜里，自然要睡觉了，难道违反自然，拿白天的工作时间来睡觉吗？不能干！干不得！

有许多人，为了几个捞什子的钱，连卑微狭隘的事情也做，结果，人格也丧失了，身体也做伤了，刚毅之气也没有了，天才也埋没了，志趣也没有了，什么神来之力都完了。

譬如书籍，好的很多，坏的也有；与其花许多时间精力去读一本坏书，实在不如拣一本好书来读。工作也一样，职业也一样，有好有坏，如果能够选择的话，总要拣那又好又高尚的去做。总而言之，我们应该有远大的眼光，一定要做那又好，又高尚，又有意义的事情。

无论是一个什么人，他决不能任凭他的蛮性尽量的发展，颠倒让他的高尚的情绪停止活动，萎缩颓败。一个身强体健的青年，脑子也不怎么不灵，择业的能力也不怎么差，如果忍心害理的让他的兽性发展，活动，让他的至高无上的血性生生的毁灭，——因为聪明才智愈练则愈好，否则必定要毁灭的，——这是一种很大的耻辱。“要便是有用的，要便是无用的。”这条天然的定律，实在是铁面无私的。

真不知道有多少很有能力的，又受过很好的教育的，身体又很强壮的人，因为做着一种不但不能使人上进，而且只有堕落的下等事情，把自身糟蹋了，玷污了！试问一个年富力强的青年，一个很有能力的青年，如果为了干过一种背着良心的勾当，挣得几文坏人心术的臭钱，把自身糟蹋了，他能够脱离社会的关系吗？他在他的朋辈面前还能够顾全面子吗？试问为社会所讥笑，又把自己的终身葬送了。纵然你有许多金钱，你的身体也诚能享乐一切，值得不值得呢？

如果一个人做着一种职业，并不是他自己心悦意合的，那真是一种最悲惨的现象。一个青年人，归罪于命运，为了维持他的一点生活费，坏了他的性情也不管，伤了他的身体也不问，自己看轻自己，连卑微而不值得干的职业也去做它，使自己更无一个好机会可以去做那更好更高的事业，使他不能享受着正当的真实的生活，不是很悲惨的吗？挖沟罢，掘煤罢，搬砖罢，搬瓦罢，什么都去干罢，只不要牺牲你自己的尊严，不要不分是非，不要抛弃真正快乐的生活，真实的生活；这种生活，不是有心人，不是有觉悟的人，他是享受不到的。

一架用来计算你的精力花下去的程度的机器已经告成了，好比是一只鸟笼，把你放在里面，你的一举一动，你怎样努力，你的精力到底已经花去了多少，这架机器立刻便会一齐记录下来的。一个未来的成功者，他应该置身于一种环境里，他可以活动，可以很自由的计算着他的脑力以及他的精力已经花到什么程度了。

一个未来的成功者，有一个很大的问题，他必须再三的考虑，自己问着自己："那一种机会是最大的机会呢？我应该在那一种环境里，把我的全副精力用下去，后来有最大的所得，有最好的成绩呢？"

第一重要的是要在一种适宜的环境里，让你的精力用上去，让你的希望能够实现。我们要做的职业，一定要在各方面都很适宜，在体力、智力、趣味、能力，各方面都很恰当。总而言之，我们开步走的时候必定要走上康庄大道，环境里是要有同情心的，努力做工的时候也并没有什么妨碍，能尽我们的责任，做什么都是很胜任愉快的。

某人能做某一种重要的工作，因为他在幼年的时候便有了某一种的本领，有了某一种的才能，这个概念完全是错的。有许多人的能力表现出来的时候，比别人迟得多。有许多男子和女子要到中年的时候才能择定他们的真正的职业去干。不过，在他们找得了他们的真实的工作的时候，他们的经验，比较的已经足够应付一切了。

任何一个青年男女，最好能够早早的择定他或她的终身的工作；但不可造次，不可随便，不可鲁莽灭裂。如果不很自然，你一时又似乎不能决断下来，你应该耐下心来，十分注意地再去找寻一种更好更适宜的方向。这个问题，在一般天生有能力，有才干，对于择业很有一点把握的青年看来，自然不成一个什么多大的问题；但是，不幸得很，却有许多人在他走上他的生活之路的时候，实在不知道怎么样才能算得是最好的，最不错的。还有一层，那怕他一时好像并没有多大的宗旨、意向，只要他能够自己勉励自己，只要他有一种好的特性，终久是能够使他在世上得到他的正当的立足之地的。

“你怎么样找得你的这个位置的？”皮波狄（George Peabody）的一个朋友问着他道。“不是我来找着这个位置的，”他的回答是，“是这个位置来找着我的。”真的，普通一般青年男女都有点像这位大大有名的银行家。他们都是位置来找着他们的。我们的职业，真的，都不是我们自己选择的。偶然的机遇，环境，出生的地方，贫穷，没有受教育的机会，往往使我们得到了一个位置，却不是出于我们的自择。还有些小枝小节竟会决定了人们的整个的运命。偶然读了一部书，偶然听了一场讲演，偶然受到一番训戒，偶然经着一番批评，偶然得到一点鼓励，偶然碰到一种急变，往往会决定了人们的终身大计。

凡旦克教授（Prof. Henry van Dyke）说：“我觉得老是等待着让自己多知道一点是无用的，我极力主张遇事便立刻向前去干。只要你觉得这件事情并不是不能干的，也像有一点兴味，你便应该拣定这件事情去做。心里想着要怎么样怎么样，那是无用的，只有行动能够使你学得很多，大有进步。”

“并不是我的心里想着要这样做，” 斯力士博士（Dr. Thoms R. Slicer）说，“却是我一定要自己亲身要这个样子做，我才能做到现在这个样子的。”

我要怎么样才好呢？我要怎么样干一番事业才能对得住我的朋友们呢？我要怎么样才能把我所有的力量用出来呢？这是每一个青年男女，在开始他的生活的时候，一些必不可免的，又要细加思索的几个当面的问题。这些问题的答复，不但直接的关系于一个个人的福利与苦恼，而且间接的也很影响于世界的进步，因为文明的进步决不能到达最高的境地，如果任何一个青年男女不曾择得他或她的最正常的工作。

择定终身的职业的唯一原则应该是：“你觉得做这个工作一定能够做得很好，世界上其他的工作，无论那一种，你去做起来，你都觉得实在不能像做这一件这么一样做得很好。”

你的生活，不能沾沾的只限于你的职业。有许多人竟把做一个职业当做是一种混饭吃的手段。这是何等的浅陋呢！何等的狭隘呢！你在这个使人进步的学校里面，正应该怎么样做人；正应该怎么样修养；正应该怎么样求广、求大、求高、求深；正应该怎么样求同情、求和谐、求美；这些都是上帝赐予我们的力，正等待着我们来开展，扩拓！

五　父母代择职业之害

有许多地方，我们走去的时候，我们会看得见许多很有才能的人，因为他们做的职业很不适宜，把他们的才能完全糟蹋了。做着一种心里不很愿意的工作，最会挫折人们的生机的，才干也会施展不开的。

我们能够打得起精神来，全靠有一种未来的希望。天下再没有比做那些不适宜的工作更能急速地摧残斫丧人们的欲望的了，人们的好高之心的了，人们的神来之力的了。

在那些做着不适宜的工作的人们的面孔上以及一切行动上，一切态度上，我们很看得出他们的苦恼。他们的行动方面所表现出来的无非是失望的样子；他们的面孔，无非是死气沉沉的，很可怜的样子。

我们觉得最惨酷的事情很多，但比起那些做父母的，强迫着他们的那些比性命还要紧的爱儿爱女去做他们所不愿做的职业，逼得他们恨不得掉转头来跑了，走头无路的情形来，再没有更惨酷的了。做父母的总想着，替儿女择得一种有面子又发财的职业，是很聪明的，但是他们的子女却觉得太不合他们的性情了，于是大错铸成了。做父母的原来是巴不得他们的子女处处有好处的，而事实上，恰恰相反，他们的子女的才干被他们斫丧得丝毫不能施展开来了，他们的子女的光明的前途，终身的希望，都给他们硬生生的断送了。

有一位现代的作家说："做父母的干过一点事业，往往有一点经验，有一点所见，有一点心得，这是很自然的，他们总要发表他们的意见，给他们的子女当做参考的。如果他们干的那种事业有相当的成功，他们对于他们干的事业的种种方面在在感觉着十分有味，在在感觉着这怎么不是尽了很大的责任了，大概没有一个不希望着他们的子女都来跟着他们的脚步走的。如果他们所做的特别的工作不很得利，也没有相当的成就，他们或者肯让他们的子女去做一做什么别的事情的。总而言之，他们只根据着特别的情形，他们却从来不愿意顾到什么工作的本身以及性质的。他们不知道时代已经不同了，环境也已经大大的变迁了，他们的时代所谓是的，所谓非的，在你们的时代，已经完全相反了。所以，关于择业的事情，你们不但应该听取他们的意见，他们的指点，最应该的还要把理由问得明明白白。”

想来不会有一种父母，力劝他们的断了一只手的儿子去做一种非用两只手不可的工作的；如果做父母的劝他们到铁路上去做工，或者去当一个工程师，做子女的当然会认为是一个笑话。想来也不会有那么一个父亲，一定要叫他的瞎了一只眼睛的儿子去学一个雕刻师，或者是去做一种目力不健全便干不了的工作的。但是，这种的父母往往不管他们的儿子有没有逻辑的理解，伶俐的判断力，却毫不迟疑的要他们去从事什么法律；或者是劝着他们的身体很弱的爱儿去到柜台里当上一个写这样写那样的小伙计；或者是硬要他们去做着那些从来不见天光的工作去的。

“可以勾魂摄魄的总是对的”，这是很不容易否认的，很不容易推翻的。他的内心已经认为是最适宜的工作了，如果还是一点不顾事实，左来一个命令，右来一个训饬，一定不能免掉不幸、苦恼、灾难，以及失败。所以，任何人都该“让心窝儿里情愿”，让他做他自己看起来委实是值得干的去干。

当你们的过分的又溺爱又期望你们的父母，你们的又羡慕又赞美你们的同学，你们的见解不很高明的朋友们，跑来说你很有天才，劝你去做一个什么大律师，一个什么政治家，一个什么演说家，一个什么牧师，一个什么医生，一个什么艺术家，一个什么工程师的时候，你千万不要受他们的讨论的欺骗、诱惑，你应该自己有定见，决定那一件是你自己最愿意的。你应该很仔细，很谨慎地注意着分析你自己的性情，你自己的兴味。如果你自己不知道拣那一件做的好了，你不妨把某一件事业的情形看得清楚，细加一番考虑。对于做某一件事，要怎么样才能成功，对自己的性情合不合，这些，一定都要预先弄得明明白白。然后再问着自己：“我做这件事，鼓得起勇气来吗？能忍耐吗？身体能吃得住吗？无论什么苦难横逆，我都能应付、不顾、不怕吗？”

你要做的那一件事，必定要你的能力足以应付；又一定要你的心，你的双手，你的脑子，觉得非常满意；

又一定要使你的精神上愉快；又一定要使你在人前是很高兴的样子。

像这样择定了你的职业，你不用三翻四覆的游移不定了，你不用再三再四的考虑了。立刻动手去干，立刻放手干去。

六　避免不适宜的职业

终身的工作如果择得不好，错了，往往不能有成功的希望，而且不仅是不能成功而已，还要产生很大的不幸；不过，有一种青年人，他们有一种很不好的意向，就是世俗以为是很有一点面子的事情，他们并不顾工作的性质，他们恨不得到手便干。

听说是一种大事业，那怕自己的性子根本不近，但是，总要想尽方法去参加，以为可以到达成功之宫，在这种情形下面，真不知道有多少人断送了他们的快乐，他们的意志，弄得他们美丽的生活不成样子。现在的青年男女，他们往往误解了成功的意义，他们以为成功是像山峰那样的高的，又是像那阿尔卑斯山（Alps）似的，又是像那喜马拉雅山（Himalayas）似的。他们忘记了，完全忘记了那不为人们所重的紫罗兰，一样在尽职，一样四面八方的在散放着它们的香味，它们的价值，它们的地位，并不下于为人们所赞美的大栎树，虽然它们在栎树下面，自生自灭，真个不为人们所注意。

有许多年纪轻的姑娘们，不知怎的，忽然被不规则的奢望的微生虫侵入了，这种虫立刻会叫她们生病的，她们立刻要去做她们的大事业去了，她们立刻把她们的神圣义务丢了，把她们的家庭也牺牲了，把她们的好朋友也离别了，甚至立刻把家庭毁了，一心一意的去干她们的大事业去了，希望着大大的出名，大大的提高她们的日常的生活程度，却说不上庄严两个字。在这种自私自利的观念下面，雄心下面，却也有些女子偶然会成功，但一般普通的女子，也能一样吗？她们怎么样呢？专门学校的教育的确是在平常的环境里异常努力，但有什么成功呢？有什么大事干出来了呢？不管怎么样，一个姑娘，连家庭的义务都放弃了，连女儿与姊妹之情也不问了，连天生的妇女的天职也丢掉了，试问这种任性的结果，把她们的天性也摧残了，本能也摧残了，拿什么来赔偿呢？

也有许多青年人，本来都是些很好的一等的农夫，不知怎的，也中了这种奢望微生虫的毒了，丢掉了他们的田里所用的一切器具，放弃了他们眼前的一切任务，向着大都市里去碰他们的命运去了，争他们的名誉去了，或者是挤在千千万万的新闻记者、律师、药剂师、美术家各方面里去了。不多几年，他们却从那些实在不该挤入的不平等的角逐之场上退回来了，也许身体已经一败涂地，连什么事业都不配做了，都干不了了。

人们的生活里有许多交互的关系，比什么大事业还要珍重，还要宝贵。我们的生活里最要紧的是感情，这是万不能牺牲的，好像我们的真实的才干，万不能够糟蹋一样！一个知识分子，无论男女，多数是畸形的、刚性的、冷酷的、一厢情愿的、不健全的，从不会有说得上是很平衡的、很均匀的、很恰合的。要得到和谐，要得到均匀的发展，除非处处能培养性情、情感、同情心、关心于家庭的牵制。只有这样的努力与修养才能产生伟大的力，可敬的庄严的样子，温顺和蔼的德性。

很不自然的带着勉强去干什么大事业，既没有相当的才干，又没有特别的本领，结果总是失败，只有惹得懊丧，惹得苦恼，惹得不满意，惹得失望。一味盲目地去干所谓大事业，这种方法是荒唐的，结果也是无味的，事实上，有最应该用力去求得的一件事也毫无希望了，那便是一个完全无缺的品格。

择定一种终身的工作是一件很不容易的事情。自己的技能怎么样，适宜不适宜，趣味怎么样，这些都是应该很谨慎地考虑一番的；择业的人自身一方面不成问题了，终日相处的在你上面的人怎么样，也该注意考虑。除非你一心一意的以为这是你最欢喜的了，除非你觉得把你的能力都用出来是很愿意的，你是不能真的择得了你的最适宜的职业的。一个青年，一个女子，真的择得了他的或她的十分适宜的地位的时候，拿出他们的才力来的时候，一定是生气勃勃的，精神赳赳的；决不是死气沉沉的，垂头丧气的。做着一种与性子十分相近的工作，拿出所有的能力来干，在各方面，也一定是在随时随地的使你大有进步的。

下决心把某一个工作作为自己的终身工作的时候，任何人都应该不背上帝的暗示，他的精神一定是飞舞饱满的。鼓励与教育的培养，良心与理性的约束，人的志向一经立定了，干起事业来，成功的酬报是多么靠得住的。

决定你的终身工作的时候，事先必须仔细的观察、研究、考虑。我的能力干得下它吗？我十分愿意吗？因为，请你记着，你既要做你的非常心爱的工作，意志必须十分坚强，无论什么困难横逆来的时候，你都要忍受；不问怎么样的苦，你都要能吃；要为了你的工作，经得住无量数的失望。然后注意着你做得了的各种各样的位置。你还应该记住，最好是你去找的那个位置，正是那个位置要找你的时候。因为，你已经决定了，你要做的那种事，是你十分愿意的，是你愿意拿出你所有的力量来去干的。像这个样子，只要你努力，只要你认真，只要你勤劳，那怕你做的是一个不很高明的律师，一个传教士，或者是一个你所认为不很适宜的位置，你也会欢喜的，高兴的，生气勃勃的，非常成功的。

做着配味的事情的人没有失败的。可惜有许多人很不容易找得他们的正当的康庄大道。有许多人急急的要出去做事了，他们的骨头骨髓里都在恨不得立刻要大发其财，引诱来了，又分辨不清，把他们的精力用到邪路上去了，对于正当的范围，不得其门而入了，他们得到的工作，是老大不适宜的。举例来说罢，一个很好的机器师，听了几场讲演，糊涂了，老大不满意了，他记着俗语说的“有意要做，一定有法”，又是什么“有志者，事竟成”，不做机器师了，学法律去了，学神学去了，当然的，他一定只有失败。我们到处会看见许多人做着不适宜的工作，垂头丧气的，无精打采的，好像觉得这个世界真个太无味了。为什么？原因是很简单的，只不过是因为他们都不曾找得他们的十分正当的园地。

钥匙是拿来开锁的，柱子是拿来支撑大厦的，人到世界上来，自有特别的用处；我们的第一件要紧的事情便是要看一看那里的槽沟是应该由我们来填塞。有许多人并没有一点美术天才，但他们偏要在油画布上去绘风景。他那里配做这种工作呢，只配去粉刷墙壁。有许多生意人讨厌数目字，很想去到田地里做做农夫；又有许多务农的又恨不得做生意，便是荒芜了他们的田园也在所不惜。

我们时常看得见，杂货店的柜台里面也不知道有多少可爱的青年，明明是些很能干的工程师，明明是些一等的农夫；也不知道有多少天生的教员，却在料理家务事；也不知道有多少天生的美术家，却在做鞋子。你不必问你的能力比得上比不上韦白司特（Webster），比得上比不上林肯，你的第一个需要解答的问题是：“我最配做什么呢？”你不要三心二意了，你不要迟疑不决了，你立刻去干你觉得最配的好了。

如果你的时间和精力已经花了不少下去了，还是不成功，你应该赶紧仔细的注意研究了，大概是好像火车头并不在轨道上走着了。如果不知道毛病在那里，困难在那里，只是一味的加煤，老实说，煤越加得多，汽越足，火车头越会向着烂泥里冲去，越冲会越不能动弹的。

火车头出了轨道，最好是停住，仔细把各部分的机器看一看，一定要把不上轨道的毛病找出来，修理以后，火车头才能够依旧走上轨道去的；加煤加汽，向烂泥里乱冲，这都是一种白白的耗费。人到中年还不曾知道他们失败的原因究竟在那里都不妨事，只要他们认真找出病根，他们会像火车一样，终能到达目的地的。

我们有时候会看得见狭轨的火车头很想到阔轨上去走。有许多青年，犯夸大狂，做律师失败了，以为改做机器师一定是会成功的。有的女子，料理家务，很能尽责，她忽然想着要靠着上舞台去谋生了，或是要卖文为活了，一会儿要这样，一会儿又要那样。又有的人，明明是一个天生的演说家，他却去做鞋子。又有的人，明明有很好的歌喉，他却去卖带子，卖花边。——这般人不是明明的要把方块插进圆洞吗？

爱默生（Emerson）道："像船在河上走着一样，一个青年人的四周都是困难，处处都要应付，但有一边最该留心。把这一边的层层障碍都打开了，慢慢的驶过了深深的海峡，前面便是风平浪静的大海了。"你找得了你的真的职业的时候，老天不会来阻止着你的进步的，不会来束缚着你的志向的，不会来和你的志趣作对的。老天赋予你的成功的志愿，一切的障碍，一切的困难，只要遇见，都会觉得毫无力量了，再也不能叫你心灰意懒的回头的。

我的亲爱的少年朋友们，你们一定明白了，你们做着你们的工作，觉得并无多大进步，并无多大趣味，并不曾使你们的生活有博大高深的模样，也好像并不是一服补身剂的话，那是你们还不曾找得你们的位置的原故。如果你们觉得你们做着的工作简直是一种捞什子的苦役，巴不得吃点心的时候快到，巴不得放工的时候快来，你们也一定会明白的，你们并不曾找到你们的成功的途径。如果你去上工的时候，不是很高兴的样子，不是很有味的样子，那种工作一定是属于别人的工作，不是你们配做的。

你找得了你的正当的工作的时候，位置的时候，你会知道的。你一面做着，会毫不怀疑的。如果那种工作是你配做的，你一定是精神赳赳的，生气勃勃的。你无庸时时怀疑着你已经找得了你的正常的园地不曾了；你自己心里是很明白的，你的朋友们，任何人，也都知道的。如果你做的事对，做的位置适宜，你总是心满意足的样子，高高兴兴的，至少有一点相当的成功的样子。

七 怎么样得到一个位置

许多年前，有一位人面不很熟识的人从西部来，他急于要当一个新闻记者，但是，他既没有势力，又没有朋友，他跑到克勒门兹先生（Samuel L. Clemens）那里去，（马克·吐温）要求他帮助他，在大都会的任何一个报馆里谋一个位置。克勒门兹先生，对于谋事有他自己的见解，他回复他道：

> 如果你肯严格的听从我的指导，我一定设法使你能够在报馆里面得到一个位置。你要进什么报馆，你要自己拣定。那个报馆是在那一州，那一省，你也要告诉我明白。

那位青年的复信自然非常感谢，把他愿意进去做的那一家报馆说明了，并且声明，对于照应他的人的指导，他是一定服从的。克勒门兹先生于是又复他一信，说道：

如果你愿意白做事，不要钱，什么人都愿意给你一个位置的。薪水不要提起，慢一点再说。你只消耐心等待一会儿好了。所以——

你可以自由择定一个地方，要求给你的工作做。你自己去好了，用不着介绍。你不必说起我的名字，也不必提起别人的名字，只说明你自己的名字。你应该讲明，你不要什么报酬。你只说你要的只是工作——一切一切的工作。你说你的生活真不得过，一天到晚闲着，没有事做。你所要的只是工作，越多越好，越重越好，你无论怎么样，不要一文钱的津贴，一文钱的报酬。不管那人是一个慷慨的，一个吝啬的，你的位置大概是可以到手的。

你得到位置以后，不要坐在那里等着别人找出工作来给你做。要时刻留神，自己找出事情来做。如果你实在找不出什么事情来做了，你还应该想出事情来做。在你一处办事的人自然觉得你是一个少不得的朋友了。你看见有值得报告的消息，你可以走进办事间，把消息说出来。不久，你当然可以让你的消息在报上发表出来了。一而再，再而三的，你的消息发表出来了，你不久自然是一个正式的访员了，你在报馆里的编辑部里自然是一个编辑了，别人却还不知道在什么时候，你怎么样便会得到这个地位的。

久而久之，你知道你是一个少不得的人了，却还不曾被人看重，你却也还不能说起薪水。你只是耐心等待着好了，因为这件事情是用不着你担心的。过不了多少时候，在同等的报馆里或者有位置空出来了。你所认识的访员里面，或者有人会提起你，或者你便可以得到那个每月照规矩有多少工资的位置。你不妨把你的机遇告诉你的总编辑。如果他给你的薪水和那边报馆里的一样，你不要就那边的事，还是依旧在原来的地方做。随后，如果还有别的报馆愿意你去，薪水可以加高，只要这边不放你走，也把薪水加到同那边不相上下，你也还应该在原来的地方不走。

那位青年对于这一番话觉得很诧异，但是，他很忠实地遵守着克勒门兹先生的指导。他去谋的那个位置果然到手了，一个月之后，他已经进了那个报馆的编辑部。第二个月，还不曾到月底，有一家报馆来请他，许他一个每月有多少薪水的位置。这边的报馆主人照那边的薪水加倍给他，他于是仍旧在这边做。四年之中，用这个方法，他的薪水加了两次。后来，他当到了南部的某一个大报的总编辑，直到现在，他还在做着那一个位置。有五个别的青年，同样去请求克勒门兹先生的帮助，他同样的复了他们同样的信，那五个青年也都遵依着他的指导做去，结果，各人都得到了他们所要的位置。其中有一个，现在还在当着某一个最有名的，销场最广大日报的总编辑。他只帮了这一个报馆的馆主，不曾在别处做过事。这个馆主用他的时候，在二十年前，他还是一个无名的青年，是一个一身以外无长物的人，现在，他的薪水额却是已经很高很高了。

但甫先生（Chauncey M. Depew）对于一个青年人要怎么样才能得到他的位置，要怎么样才能保持得住他的位置，这些问题，他的意思，觉得第一要紧的无过于最有希望的常识。他说："敏捷的态度，自己有相信自己的样子，一个青年人，有这两种长处，他去谋事，胜于一打介绍信，胜于一打证明书。他得到了位置以后，只消认真努力好了，只消放出他的能力来好了，只消信任自己好了，上进只是时间的问题而已。"但甫先生举鲁透先生（Tames H. Rutter）来做一个例，证明他的话。鲁透是一个穷孩子，他住在伊利铁路（Erie Railroad）线左近。他谋得了一个书记的位置，只不过是在小站上管理管理货运与行李罢了。他做了不到一个月，有人便知道他是可以做别的更高的位置的。那时候，铁路还是初办。有几桩事，他办得很好，他的才干惹起别人的注意了，所以他升级了。不久，他便做到了丹刻克（Dunkirk）货运的管理员了。他在那里，看见杂乱无章的样子，毫无秩序，他用他的方法，大加整顿一番，做得井井有条的，伊利总办事处觉得这位青年干的真是一种奇迹。大家都赞成他，推他管理全路的货运，于是他做到了总管之职。在樊特比尔（Vanderbilt）也算大增开支了，但是，老海军总督看见鲁透，十分羡慕，说道："这位青年，正是我们非要不可的。"他劝鲁透离开了伊利铁路，许他一年一万五千元的薪水，在部里另设一处，叫做货运总管理处，请他当经理。有一天，鲁透去见海军提督樊特比尔，因为关于货运上有许多很疑难的问题，解决不了，去请教他应该怎么办才好。

那个老头子说道："老兄，纽约总局给你一万五千元一年的薪水是做什么事的？"

"管理货运。"

"那么，你是希望着我去把你的薪水赚来吗？"那位海军提督又回答他道。

鲁透掉转身来，走出了办事间。他走到外面，用他自己的办法把问题解决了。他办事最细心，有眼光，从来不错，所以不久他便做到了副总办。后来，他接着樊特比尔（William H. Vandebilts）先生的手，做到了纽约中央铁道局局长（New York Central Railroad System）。

但甫先生道："鲁透是一个雇员，中央铁道局是要他来管理货运的。他应该好好的管理。如果他不好好的管理，别的可以管理得好好的人，可以雇来管理的。”

卡内基先生说：“一个店主，要想他的营业进展，第一重要的是要得到一个非比寻常的青年。什么契约的效果都赶不上这一个这样的重要。”

一个非比寻常的青年，卡内基的意思是指着一个无时无地不在打算东家的利益的人。他时常睁着他的眼睛，时刻在注意着怎么样怎么样改良，才能叫生意好，帮着他的东家。他也无时不在留心着，事要怎么样做才能算好，算简捷，算有效率。

一个非比寻常的青年的唯一希望是帮着东家把生意做好，用种种的方法使东家得利。一个非比寻常的青年，遇着忙的时节，办事时间已经过了，他还在帮着做他做得来的工作。一个非比寻常的青年，遇着店里发生很大的困难了，他总尽量的讨论出方法来把困难解决掉。

一个非比寻常的青年，只要看见同事之间有什么事故发生了，他总要设法使他们不要伤和气，不要弄到大家感情破裂，总要大家和衷共济的在店里过着和谐安定的生活。一个非比寻常的青年，决不自顾自，对别的同事，一定要帮着他们，有些笨的，有些连生意也不会做的，他总要鼓励他们，对于失望的，总要安慰他们。

一个非比寻常的青年，他总在注意着生意，只要有利于店东。对于顾客，他总是有礼貌的样子，灵敏的样子，人人欢喜在他手上买东西，人人都欢喜跑进他们的店来，觉得走进他们的店是很愉快的，他真能替店里生色。

一个非比寻常的青年，总把东家的利益看作自己的利益。一个非比寻常的青年把他的位置看作是他的一个做人的地方；是他有机会给东家认识他的地方；无时不在力求着上进，要做到那更高的位置的。

一个非比寻常的青年，无时不在注意着东家所经营的这一种生意，一切的消息他都留心，别家用的最新最进步的方法都赶紧采用，不能落后，自己有空的时候，总在用功，准备着做那更大更重要的事务的。

一个非比寻常的青年，从来不说："又不曾另外给我一点钱叫我做这件事。我在办事时间之外还要做事，又没有薪水，我何必白白的吃苦。"一个非比寻常的青年，从来不把一件不曾做好的事情丢掉不做了，他要做的，总要做得有头有尾的，有始有终的。

八　决心

你已经很审慎地认识了你自己了，你已经认识你自己的智力与体力了，你已经认识你自己的特性了，你已经认识你自己的能力了，你已经认识你自己的嗜好了，你又已经再三考虑地择定了你自己的终身工作了，你不要三翻四覆的回头再看了，你也不要拿几件好像你也未尝做不了的别的事情来比较了。除非是你的经验告诉你，你现在所做的这种工作的确是错了，你绝对相信，如果换一种工作做，你一定能够成功。那么，你可以遵依着你的最后的选择，把你的整个的心，整个的灵魂，放在你的工作上面去。不问什么，不能让它改变你的宗旨。便有一点困难，一点挫折，一点失望，你也万不可让你的主张动摇。如果你把你做着的工作当做苦役，哭丧着脸做着，心里又时刻在想着做别的事情恐怕一定好，老实说，你是不能成功的。你要从十分困难的地步达到最大的胜利的境地，唯一重要的便是要有坚强的意志。决心真是无价之宝；只有那有决心的美德的人，才能成功，才能得到人们的信任。有决心的人最有信用，有决心的人到处能得到帮助。人们最相信有决心的人，有坚强的意志的人，有主张的人，宁愿一次两次的很迅速地帮助他，却不愿意去帮助那些精神松弛，对于职业糊糊涂涂的人，因为这种人往往是三心两意的，时刻有失败的可能。任何人都知道，一个有决心的人是不容易失败的。他们有非常的刚毅之气，这是成功的保证，这是成功的断案。

有许多人失败了，不是因为他们没有能力，不是因为他们没有热忱，也不是因为他们无意在世上干一番事业，乃是因为他们没有坚强的意志。他们很无恒，一会儿要在这个地方来做一做，一会儿又要到那个地方去做一做了；一会儿又很怀疑着他们所做着的事业了；一会儿又来把这一件事做一做，一会儿又去把那一件事做一做；一会儿又把自己的地位看得非常高，一会儿又把自己的地位看得非常低；一会儿想着这样，一会儿又想着那样；总而言之，游移不定；这种人无非是在找寻失败，不但别人不能信任他们，连他们自己也不能信任他们自己了。

如果不顾着天赋的精神，如果不顾着这种能够产生决心的精神，如果不顾着这种精神能征服一切困苦艰难，如果择定了职业也不顾到非有这种精神不可，如果不顾到这是青年人的唯一美德，如果他又不能早早便有了有恒的名誉，他是万无成功之望的。有恒的人，人们无有不相信他能够成功的，人们无有不相信他无论担任一件什么事都是能够尽责的。恒心能使他向着成功之路走去的力量加大，加强。譬如造一座房屋，一定要照着工程师打的图样，设计，一步步的做去才能成功；如果做屋的人忽生非非之想，乱七八糟的乱做起来，这里去改一改，做一做，那里又去改一改，做一做，一定是很不成样子的。所以，一个青年人立定他的终身大规模的时候，应该预先定下一个周密的计划，不厌周详，不厌完备，不厌完善，不厌精细，然后再依着他对于他的择定了的事业的主张一步步的求它实现。

无论是那一个做了一点事业的人，他一定有一点不屈不挠的精神。他们也许有别的短处，也许有别的弱点，也许有别的癖性，但是，不屈不挠的精神，他们无论如何都是有的。不管他会遇到怎样大的阻力，他会经着怎样大的失望，一个成功的人，他总常常是不屈不挠的样子。苦役叫不了他憎嫌，劳动叫不了他疲劳。他老是不屈不挠的奋斗，不顾一切困难的，因为他的天性是这个样子的；他要这样干，在他看来，真像一呼一吸一样的容易。要成功，第一要有不屈不挠的精神，第二要有恒，实在没有别的美德比这个更有力量，更加重要了。不屈不挠的精神最能得到人们的信任。无论什么人，他都相信一个有不屈不挠的精神的人。他一样也会碰到不幸的事件，也会有苦恼烦闷的时候，也会有小挫小败的时候，但是，人们总都相信他，他终能得到他的最后的胜利，因为他们都知道，一个有不屈不挠的精神的人，他是不会大大的失败的。“他还在干吗？——他还是那么一个不屈不挠的样子吗？”世人对于任何一个个人都会这样问的。便是一个不很能干的人罢，只要他有不屈不挠的精神，他都会成功的；如若不然，便是一个很有天才的人罢，他都会失败的。

有一个在世界上也算数一数二的大保险公司的经理说，他觉得第一个难解决的困难问题便是真不容易选得几个很好的代理人。

成千成万的人都觉得做保险生意并不艰难，其实他们都干不了这行生意。他们都觉得做保险生意是很文雅的，不俗的，实在用不着多大的本领，多大的能力。但是事实上，据那位经理先生告诉我说，他选择代理人的时候，十分当心，只能偶然碰见一两个成功的。

他举行代理人考试的时候，有一种很严格的试验，就是要试一试他们的胆量，试一试他们的毅力。他在考试的时候，用种种方法威吓他们，挫折他们，劝他们不要做这行生意的好。他提出种种的理由来不赞成他们做这种生意；他对他们说，做保险生意最困难，最不容易成功，最要有忍耐心，最费力，有时候，虽然认真做去，还是不能有比较的成就的。

有大部分的投考的人，经过他的这种试验，灰心了，决意不干了，他们承认他们不是天生的配做保险事业的人了。但是，那位经理，他看见其中有一个人，仍旧是很镇静的样子，无论他怎么样威吓，无论他用什么方法来挫折他；仍旧是没有一点胆怯的形色，不管说得怎样困难，不管他举出多少不赞成的理由来。他是一个很忠实的人，他的态度是很好的，仪表也很不错。只有他，决心要做一个成功的代理人。

如果一个投考的人是有毅力的，是有胆量的，是有恒的，他往往能够胜利。如若不然，便是他是一个受过高等教育的人，是一个很好的人家的子弟，他还是失败的。

那位很有名望的人寿保险公司经理又说："一个决心要成功的人，一个肯放出他的全身的气力、精力来求上进的人，是我们所最需要的。在我管理着的几百人之中，有许多是很成功的，他们的进入比一般的生意人，一般的职业者，多得多了。但那几个有显著的成功的，却多数不是受过高等教育的，他们的脑子也不见得特别聪明，不过他们做事都很用力，又都有一点雄心。据我的经验看来，在这种竞赛场中，聪明只能占一分分数，肯用精力倒要占九分分数。"

在现在这个时代，除掉忠实，需要得最急迫的要算生气了。做东家的无有不在注意着它的，也没有一个人不在相信它的，因为，一个有生气的人，他终能出人头地。世上也无处不在欢迎有生气的人；一个很有才能而无生气的人，往往敌不过一个有生气的人。

有决心是很好的，但是，如果没有精力去求决心之实现，单有决心，也是无用。唯有生气，真是无往而不利。人们遮拦不住一个有生气的人的去路。他们对于那些只是心里想着要上进的人，愿意做一个普通人、平常人而又畏首畏尾的人，从来是老实不客气、不让路的；只有遇见当机立断的人们的时候，他们只好放开一条大路来，让他迈步前进。

得到胜利的勇敢精神是一往无前的，从来不犹豫不决，只要遇着逆意的情形的时候，从来是不屈服的，从来是不投降的。在世上有了很大的名誉的人们，无一个没有一点“再接再厉”的精神，也无一个没有一点“专心一致”的习惯。

在光天化日之下，又有许多朋友，你做事的时候，要有勇气，这是一件比较容易的事情；但是，有许多事情，却是在你不知不觉之中便过去了，你如果不拿出你的毅力来、你的恒心来、你的沉着应付的工夫来，那可不能保持住你的令誉了。

开洛博士（Dr. Cuyler）最相信，有许多青年人失败了，原因自然很多，但第一是由于没有耐心。这真是一种很奇怪的现象，有许多青年人，还不曾达到他们的目的，他们就没有一点急起直追的力量了。他们有时候也很能用一点劲做一点事，也很能轰轰烈烈的参加在一种运动里干一场，——但他们却没有持久力，没有一点忍耐心。他们太没有毅力了，太容易失望了。他们做着一桩平淡无奇的一点风波也没有的事还能做得不错，但一遇到气力有点不济的时候，一遇到有点艰难的时候，一遇到有点无望的时候，他们便立刻垂头丧气了，立刻心灰意懒了。

这种人是依赖他人的人，依赖他人的精神与气力的人。如果有人在他旁边，时时监督他，时时提醒他，时时鼓舞他，时时勉励他，他是很能做事的。因为他们没有耐心，所以他们好像都是些什么也没有的人。他们没有背脊骨——没有一点毅力，没有一点主意，没有一点决断，没有一点判断力，没有一点发明力，没有一点创造力，没有一点新思想，他们只有依赖心。他们看见别人很热忱的样子，受着一点影响，也显出一点热忱的样子来，但是，不到一会儿便没有了，他们本身，根本就产生不出一点热忱来。他们只敢看见别人做，他们才做；他们只能照例行事。他们从不敢大着步从人丛中走将出去，大雄无畏的干他一场的。

一个干事业干得成功的人，不管有困难没有困难，他一定要把他的事业干成功，他的血液里好像充满了铁质。

我们有许多认识的好朋友，好伴侣，很知己的，的确都有一点才能，可惜都不曾做过一点事情。他们最缺乏的是坚忍心。他们都是很驯服的，平庸的；他们没有热心，没有力量，没有新思想，没有发明力，没有创造力，也没有使人成事的敢作敢为的精神。

血液里充满了积极进取的精神的人便是领袖人才。一个能奋斗的敢作敢为的人总是常常站在前面的。他们从不肯懒散，从不肯退缩，从不肯落后、等待人来攻击、等待人来驱策。他们总是勇往直前，不顾一切困难的。

要成功的第一个条件是要开头便要叫世人知道，你不是一个烂泥似的人，你不是一个麦秆似的人，你是一个心坚意决的汉子。你应该早早修成一种名誉，你是一个会做事的人。让你的朋友们都知道，无论是一件什么困难的事情，只要你动手，没有干不成功的。

只要你有了那很坚忍，很稳健，判断又很神速的名誉，只要大家都知道你不是一个游移不定，三心两意，拖泥带水似的人，在世界上，自有你的出路。如果你觉得有志向没有志向算不了一回什么事，让人把你挤在旁边去也好，人们便知道你是一个没有铁的意志的人了，你是一个软属的人了，结果，他们一定是要践踏你的，排挤你的，把你挤到墙边去的。

只有那些有很大的决心的人，有当机立断的精神的人，有主张的人，能奋斗的敢作敢为的汉子，不但能够成功，而且能够得到所生存着的社会上的人们的尊敬与信仰。人们没有一个不相信他，因为他是一个有力量的人。他们都知道他不是一个庸庸碌碌的人，遇见敌人的时候决不会掉转身来跑了的，只有他，靠得住是站定了他自己的脚跟，向着他的目标，一往无前的迈进。

真的，真的没有别的美德更值得人们的尊敬了，更值得人们的赞美了，除掉那些有很大的决心，而又肯拿出他们的全身力量，他们全副精神来求他们的很大的决心之实现的人们的了。

九　姑且把这件事情做一会儿罢

有一个青年写信给我，说是他想着一定要研究法律，但是他又已经决定，要先把另外一件事情暂且做一会儿。这种的情形，不知道断送了多少可以成功的青年。有许多人，为了环境的逼迫，他不能不做那些并不配他的胃口的事情，甚至不能不做那些他所很不愿意的事情；但是，如果把这一个位置做一会儿又去把那一个位置做一会儿，把这一个行业干一会儿又去把那一个行业干一会儿，大好的光阴是一去不复回的，再要学一点技能，再要学一点学问，再要学一点本领，可是已经来不及了，这真是等于自戕，等于自杀。

青年人往往对于做成一件事的要素，不很重视，他们从来不肯放出所有的力量来孜孜不倦的去研究某一项工作，从来不肯找定一种工作，时时练习，要费多少年的时间，聚精会神的干去。这种做成一件事的要素，他能随时增加，正如滚雪球一样，越滚自然越大。

专门做某一件事的人，他应该随时积累他的经验，随时随地的学习；因为练习得愈纯熟，效率一定愈大。对于某一件事情，不离手的做去，一定是愈做愈巧妙的。一个美术家表演出他的美术来，异常纯熟，看去真像呼吸一样的容易。

青年的朋友，如果你希望你成为一个成功的大律师，你不要又去把别的事情先做一会儿了；你修完了你的普通教育的时候，你便应该聚精会神的，把你的全副力量一齐用在法律的研究上面去。你应该下一个决心，把法律上的一切问题研究得清楚明白，研究得彻底了解，只要你努力研究，你自然会精于法律的。你出到法庭上面，一定要做到一个独一无二的领袖。你不要只做到一个“不很出色”的律师便心满意足了。如果你觉得学法律是学不好的，学不精的，也成不了一个有名的律师，试问你又何必去做那么一个又懂得一点怎样种田，又懂得一点怎样做木匠，又懂得一点土木工程，又懂得一点法律的那么一个不三不四的人呢？有什么用处呢？

你要做便要下一个决心做一个好律师，做一个不可少的律师，做一个真能替人排乱解纷的大律师，决不能去做那么一个徒有其名而无其实的律师。

“时间辛辛苦苦的糟蹋了”，这句话是告诉那些一点事情都不做的人，告诉那些游手好闲、糟蹋自己、妨碍他人的人们，这是你们应该觉醒的时候了。游手好闲比不做事实在还要坏得多多。忙着懒散，忙着白白的糟蹋他的精力，忙着斫丧他的身心，实在比不做事还不知道要坏到什么地步。

一个没有目的，乱忙乱动的人，他自然是无所谓进步的。这种无事忙的人，好像是一个拦路的栅栏。别人要做事的时候，他也要来一手，插一脚，他觉得他无有不会，无有不能，但是，他连阻碍别人的力量都是没有的。他开口说话的时候，总是滔滔不绝的，但实际上又并没有一两句正经话。他好像什么都懂，都精明，但是什么又都不懂，不精明。好像有一百块铁放在火炉中炼着，其实没有一块已经炼得很热了；便是有两块好像已经有了一点热气，但是，不幸又烫坏了他自己的指头了。这一种人，在生意场中，真无用处，因为他差不多是一个游手好闲的专家了，他老是放弃了他的责任，要抽出应该拿来工作的时间来给他自己去娱乐的。

不要忘记，“流过了风车的水是再也不能回来推动风车磨磨的了”。你出来做事的时候，你一定有一身精力；你可以把你的精力用在种田上面去，当教员上面去，学法律上面去，学医药上面去，学做买卖上面去。但是，如果你在你的蓄水池里放出一个小小的漏洞来，让它一点一滴的漏去，你将来一定会觉得十分诧异的，这么一点一滴的漏去的蓄水池里的水，真能催动你的生活之轮，真能帮助着你做不少的一生的工作哩。

歌德（Goethe）有一个座右铭，道是：“你是在那里的，永远在那里罢！”这真是那些缺乏集中精神的人们的一个最好的座右铭。

许多努力工作，热心工作的人们真像一只漏水的闸，真不知道让多少水漏过去了，这种水并不曾打从风车上经过，也从不曾做过推动风车磨磨的工作。他们的精力，茫无涯际的，这里那里的分散了，这样那样的耗费了；他们只是白白的费力，从来不曾得到一点什么结果。

精力必须保持。最近，有一个很大的公司的经理，他是一个很有作为的青年，他们本地的两个很大的银行都来请他当襄理，他一概都辞却不干。他说他辞却的理由，完全为了如果把他的精力分散到几方面去，他的精力一定不够了，连他原来的生意都要做不成功了。

人们的精力的贮藏所里有了小小的漏洞，不知道要减少多少推动生之车轮的力量。心不在焉是一个最不可捉摸的最危险的漏洞，这是那些有成功的希望的工作的一个最大的敌人。对于一件疑难的事情总觉得是毫无办法了，无可挽救了；时常为了一点细故，一点小事，便心身不定，乱糟糟的；一会儿想着要办这件事情，一会儿又想着要办那件事情，结果又一桩事情不曾办好；——这种的恶习惯，都是我们的精力贮藏所里的很大的漏洞，真不知道糟蹋了多少我们蓄积起来的力量了。

任何一个人，如果他在青年时期不曾养成集中精神的习惯，养成集中精力的习惯，无论办那一件事，决不能有显著的成功。分散精神去办许多事情，这种的损失是更惊人的。无论是一个多大的人，他决不能撕成几块；

如果心里懂得这个道理，大概他可以成为社会上的一个得力的分子。

有许多人，如果他们把这里那里白费掉的气力保持着，他们一定是可以成功的。做事忽作忽辍，这里去动一动手，那里去插一插脚，又没有一个一定的主意，乱七八糟的，这是万无成功之望的。只有依着主张努力干去才有结果。蚂蚁驮着一粒比它还大的谷爬上墙去，几回失败，结果是胜利地到了墙头，这是最值得学习的一课。

一个专心致志的人，一个把所有的力量用在一个目标上面去的人，他便是一个能够到达墙头的人。他是明白的，一种工作，不是一下子便可以做成的，只有靠着继续不断的努力。只有经常的百折不回的奋斗，只有坚强的意志，只有不断的努力，才能争存，才能得到胜利。

一个很有智慧的人，他的心眼也很精细，他又有十分才干，如果他不能专心，不能有恒，他纵然有许多特别本领，他还是不能得到他们多少很大的助力的。

便是一个有天才的人，他也不能希望着所有的能耐都能施展，都能平均发达。在这种竞争异常剧烈的时代，任何一个人，如果想着要做这一件事，又想着要做那一件事，老实说，要便是完全失败，什么都失败，要便是只有一两桩勉强可以说是做到了平庸的程度了。他算不得是一个精于一事的人，算不得是一个长于一事的人，他只能成为一个什么都懂得一点儿的粗工、钝工、拙工。

一个很成功的园艺家，他看见有许多一点毛病也没有的椏枝上面明明已经开花，明明将来是要结果的，但他连椏枝都一齐剪掉了，在那个时候，好像真是一种很大的牺牲。但是，他很明白，为了树木本身前途的好处，本身前途的福利，他不能不来这么一种又很明显又很适当的糟废。经验告诉他，如果不要这样，树上产生出果子来的时候，一定是很小的，很不好的，因为树汁实在不够营养得根根椏枝上面都有力量生出许多很甘美的果子来的，生出许多很大又很好的果子来的，只够养得活几根椏枝上面果实累累的。

种花的也一样，他们看见有许多花蕊，他们知道将来花是一定要开的，而且，也相当的好看，但不怎么特别的惹人爱，也不能怎么胜于平常的花，他们一定也是要把许多花蕊剪掉，免得有些营养花儿的汁浪费在别的许多不要紧的地方去，免得所有营养花儿的汁不能够专去培养那一两枝将来一定会开得异常美丽的花儿上面去的。

譬如菊花，并不要怎么去照应它，它自己会东零西落的生长的，散散漫漫的生长的，它生的时候，也不知道有多少花，看来既不美丽，闻来又无香味；不过，如果好好的去料理它，修剪它，像那日本种似的，它会只开上一两枝很大很美丽的花，令人异常心爱的。青年男女也一样，如果不这里那里的料理，这样那样的修饰，决定去留，什么都听他，像那野花似的，开上许多花，连一枝好的也没有，倒不如做上一两件事情，做到那成功的地步。

专心致志最有成功的希望，要像那树液专去培养一两枝花似的，把所有的精力集中一处，用在一种专门的工作上面去。无论什么人，他决不能有充分的时间，充分的精力，把许多事情一概都能做到成功的地步。

如果一个人不愿意做一个平庸的人，他应该驱去许多夹七夹八的欲望。如果他想精于一两件事情，他应该不怜惜地拿起他的修剪的刀子来应用，不但对于种种恶习惯、迟钝、懒怠、下流的念头，应该一刀斩断，便是也算不得是很没出息的事情，也应该绝对牺牲。

普通人失败了，不是因为他们缺乏能力，乃是因为他们不能专心，不能把他们所有的精力集中来用在学习某一种特别的技能上面去，以为这样也可能，那样也可能，四面八方的分散了。他又要学一点音乐，又要学一点演说，又要弄得懂一点什么地产生意，又要参加学种田，又要练习交际，又要学什么法律，又要做一两篇文章投到定期刊物上去发表，有时又要当一当教员，有时又要诌一两首歪诗；总而言之，他把他的精力分散了。如果他聪明一点，他在青年时期，把几种不要紧的嗜好割舍了，把那白白糟蹋他的精力的嫩芽剪掉，把他所有的养命的原质一齐收在一根桠枝上面去，他一定会培养得出几枝美丽之花来的，一定会产生得出许多丰盛之果来的，也一定会惹起世人的极大的注意来的。什么本领都要学，这里也要学，那里也要学，他的生命之力已经分散了，他不能有一种特长可以说是成功的，甚至，他在什么方面都可以算是老大的失败了。

真的，一个有一技之长的人，比起一个有十技之长的人来，前者成功较易，因为只有一技之长，没有不是聚精会神的要求精益求精的。他时刻觉得有失败的可能，时刻觉得太平庸了，所以对于他的唯一志愿，无时不在锻炼，总想要有一点成就。如果他有十种技能，免不了时时要三心两意了，时时要不知道如何是好了。每一种技能，他好像都有点认识，但是，他的精力实在不济，结果是一技都不能精的。

在现在这个竞争异常剧烈的时代，专家便有地位的时代，除非他已经努力学得了一种专门的知识了，他是不能有多大的成功的希望的。一个满口乱说的人，精神涣散的人，他是不能成功的；只有专心致志的人，专门家，精于某一工作的人，那才是可以成功的。

一个青年人，如果要在这个时代做一个成功者，他必须充分的准备，努力学会一种特别的专长，努力去受过一种不是历史上已经有过的最新的实用的教育。现代的最会做事的人，站在最负责任的地位的人，他必定要是一个专家，他的力量一定要能集中一事，他的兴趣一定要能集中一处。一个什么都懂得一点的朋友是毫无希望的。一个什么都懂得一点的人，一样专长也没有的人，一定只好降级，只好去站在一种平庸的地位里。一个青年人必须有一件事是他充分的知道的、专长的，否则他是不能出人头地的。换一句话说，一个一事不精的人，他是不能得到很大的奖赏的，他是再也不能遇见很大的机会的。

无论什么都分不了他的心了；他已经择定了他的意向了，无论他会遇到什么惹他分神的事情，无论他会遇到什么耀眼的事情，他只是向着他的目标迈进，掉头不顾的；这样的人，他可以算是已经懂得专心的力量了。

一〇　什么时候是应该变的时候

摩腾先生（Levi P. Mortom），他是一位卓越的银行家，在一八八八年，他当选了美国的副总统。有一天，是一八九三年的夏天，他住在华盛顿城的一个旅馆里，和农部秘书威尔逊（Tames Wilson）谈话，威尔逊问着他道：

“摩腾，为什么原故，你把你的布匹生意丢掉不做了？”

摩腾转着他在坐着的自转椅，接着回复道：

“爱默生（Emerson）！”

“这是什么意思？怎么说呢？”威尔逊又问道。

“是这个样子的，”他接着回答道，“三十年前，我的货色很足，我的账簿上也有许多人欠我的钱，但是，我觉得并不怎么舒服，我拿起爱默生的一本著作来读着。有几行非常感动我，我就完全改变了我的商业生活了。爱默生道：‘如果一个人有一点什么是大众所不可少的，那怕他是住在一个深林里面，人们还是要寻出道路来找到他的住处去的。’

“那时候，我的信用很好，但也像别的生意人一样，有时也要靠着信用到银行里去通融。有时候，我觉得世界上最值得要的真无过于现金了。爱默生的几行文字，使我左思右想起来。后来，我明白了，世上的人，最需要的，的确是现金。布匹，大家有时候也是需要的；唯有金钱，却是他们常常需要的。有了金钱，便能买得布匹，买得食粮，买得舒服，买得快乐；把人类的历史看起来，为了金钱，不但要寻出道路来走进深林，便是遇着高山，也要把那高山拖倒；遇着茫茫的大海，也要把那大海渡过。

“所以我抱定了这个稳当的宗旨，干起银行事业来了。只要有确实的担保，我也放债；这时候，从前我去找过他们的那些朋友，他们都来找起我来了。聪明人说的话，你只消把它仔细体会一番，见诸行动，求得效果好了。”

我们知道，有许多人失败了，因为他们从小到大，只知道死守着一件事情去做，再不改变。成千成万的人，可怜大大的失败了，虽然他们是很认真工作的，虽然他们是很希望成功的；其实，他们的原因很简单，不过是因为他们不曾找得他们的适当的园地，又没有毅然断然的改变他们的职业的勇气罢了。你是很容易明白的，你已经花了不少的心血下去了，不少的精力下去了，相当的时间下去了，你做的事情还是不成功，那是你还不曾找得你的适当的园地的原故；你简直活像一条鱼，只在沙上游泳着。你应该把你自己仔仔细细的研究一番了；你的兴趣，你的意向，你的所愿，都该注意着。如果你觉得你在做着的那件事情实在是万无成功的希望了，你千万不要还在错误的园地里努力。你应该改变宗旨，赶快去找得你的最适宜，最正常的场所了。

如果你在某一个地方，做的时间已经很久，还是不成功，你不要再耽误你自己了，不要再斫丧你自己了，也不要还是牢牢的记着那个“一个滚来滚去的石头，黏不上一点青苔”的座右铭了。这时候，是你应该换一个新的座右铭的时候了：“换一个草场，你的牛可以吃得肥一点。”你不要一味的只是要终其身去做那么一个三等的教员。如果你不是一个生来配做教员的人，如果你在乡下当一个教员也不能出色，你不要教书了；一定是有什么弄错的地方了。大概是，你当教员，一定不高明；如果去种起田来，倒是一个一等的农夫。如果你在一个很好的地方，已经当了十年或者是十五年的律师，你还是不成功，无名，连生活都不能维持，这是一定由于很不适宜的原故了，一定是你自己大意了，如果你不再去做那法律上的事情，你或者是一个很高明的技师，很高明的机器师哩。

你又不可不三思便改变宗旨。有时候，这一个行业还要拿在手里，不要丢掉，一面又去拿着一个什么别的行业来做着。西部有一个很成功的木商，他当了四十年的传教士，但他并不出名。他离开讲台走进锯木厂的时候，他觉得开手便像是一定能够成功似的。他从前的业一定是择错了，不过他正在适当的时候，看出了错误，所以他便立刻采取了救济的办法。这是无疑的，法庭上面，也不知道有多少人，如果走进锯木厂去，一定能够把工作做得很好；锯木厂里，恐怕也有许多人却是些值得赞美的辩护士。如果你觉得你所做的事情的确是错了，你应该赶紧采取改变的办法，不要等到不可救药的时候，不要等到很困难的时候。

柜台里面，真不知道有多少青年男女，他们自己很明白，他们要算是比较的失败的人了，只不过是由于他们失所的原故！如果他们能够早一点走进他们的正当的园地，他们一定是更能抬头了；但是，现在，他们却不得不做着他们的不相宜的职业，也不得不在他们的不适宜的情况之下过着他们的枷锁镣梏的生活，过着他们的疲劳无味的生活，只觉得异常的不称心，只觉得异常的不满意，只能在他们的心头，时时有一点怎么样才能够得到一种别的事情来做他一做，使他们的生活能够稍有意义而已。

一个橡实，种在一种适当的地方，自然是可以长成一棵很大的栎树的；但是，如果是种在一种很不适宜的地方，至多只能长一棵生长不全的、矮小的栎树了。加利福尼亚（California）的松，有长成几百尺高的，如果种在不很适合的泥土里面，种在气候不很适宜的所在，生长起来一定是要受着阻碍的，它们也会大声的狂喊起来，说它们不是生来便是大树的。

这是一件何等不幸的事情，因为起头错了，人的一生便受着阻碍而不能进展了！不过，任何一个人，只要他最后能够找得到他的适当的地方，便是很迟的时候也还是不很妨事的，他的受着斫丧的力量也还会重新展开的，他的受着束缚的能力也还可以自由奔放的，他也是终能达到他的目标的；这时候，他的观念，一定会不同起来，他自身也会知道，也会明白，这真是他生平的第一次，他已经是另一个男子了。

一一　个人的外表

千千万万的优秀的青年人要想谋得一个位置，却不成功，因为他们不懂得外表和态度实在是一种艺术。一个青年人，走起路来，软头折骨的，东倒西歪的，两只手好像是用线系在肩头上一样，这种难看的样子，一个正常的经理实在看不入眼的，他只要把他从头到脚一看，把他的走路的样子一看，把他走近办事桌边来的时候的那种态度一看，再把几样小处一看，他的决定便已经有了好几分影响了。

如果一个少年人和他的东家谈话的时候，他能够懂得他的心理，他便学得了一课很重要的功课了；可是，不幸的很，他对于那些使他不能得到他所希望着的那个位置的小枝小节，毫不留心在意。也许是由于他鼠头鼠脑的东张西望，现出一种很不洁的样子来了，现出一种没有一点自制的力量的情形来了；也许是由于他光着怪眼死实实的对人直视；也许是由于一面说话，一面拿着手里的帽子在玩弄，也许是由于他的领子与硬袖太脏了；也许是由于他的头发是乱蓬蓬的，不曾梳理；也许是由于满指甲的污垢；也许是由于他的衣服上全是灰，不曾刷，又不齐整；也许是由于衔着一根纸烟；也许是由于其他的许多小枝小节，影响了他的决定。——这种种的小事情，你不要以为是很平常的，一个人的成功，一个人的事业，和他是很有关系的。

外表不齐整，走起路来，东倒西歪的，拖着鞋子慢慢的摆，这种人的习惯实在太不好了，不是一个正当的样子。做东家的最欢喜的少年人，是那些走路很起劲的人，是那些说话很清楚的人，是那些有话问他，回答得不多不少的恰如其分的人。这种种，都可以看出他是很聪明的，很敏捷的，很活泼的。做东家的最不喜欢要那些既不齐整，又不灵活，老是慢腾腾的人们来共同服务的。

聪明，高高兴兴的样子，敏捷、爽快、生气勃勃的，最惹人注意了，也最容易得到一个位置，因为那些又迟钝又粗心的人，往往自作聪明，真是一种用不着的雇员。

裁缝做的衣服是很经济的。一件合式的衣服穿在身上是很美观的。如果质料好，样子好，穿上去又很合身，他立刻便同那种衣服一样的很像样了，由于这种衣服的原故，他更能现出精神现出更正当的态度来的。

一件不合身的衣服穿在身上，明明是一个很正常的人，也给衣服败坏了。他的衣服的质料合意不合意，合身不合身，往往对于他的工作也是很有关系的，很有影响的。衣服好，便使人不知不觉地感到一种卓越的样子；要是坏的，便没有这一种的好处了。对于女子，这一个条件，格外重要。许多很漂亮的女子，很活泼的女子，只穿着一件日常的衣服，那种样子，叫人看见，真要瞠目结舌，老大惊愕。

穿着很合身的衣服，真有一种说不出的魔力，说话的喉咙也响亮起来了，说话的态度也很有神气了。如果对于别的东西省俭一点，对于衣服考究一点，那是最好的。

广告是很有利益的，他要很聪明地四面八方的去大声疾呼的宣传、称扬，但是，最要紧的一点却不能不顾：

一个人的人品和他的一爿商店实在是他的最好的广告。

有一个对于这个问题再三考虑过的人说道："我很相信，一个投资在商业方面的人，每一块洋钱能得到百分之五十的利息，如果他把做生意的地方弄得十分清洁，如果大家都是齐齐整整的，连两只手也洗得干干净净的，指甲里也没有一点龌龊。"除此以外，他如果再有一点高兴有味的样子，能够懂得一点顾客的心理，知道他所需要的是什么，竭诚的招待他，那怕是一件并不很贵的东西，他也要带一点勉强买去了，那么，他的投资，简直可以做上百分之百的利息哩。

这个原理，在城里和在乡里的商业场中是一样可以应用的。乡里和城里的交通很便利，都市以外的居民，可以随便在任何一个地方买一点应用的东西。这是很明白的，乡下的店家，也应该养成一种好风气，也一定要像城里的店一样的整齐清洁；开店的也一定要干干净净的，一定要眼明手快的，一定要很和气的样子，一定要巴结生意，像那都市中的竞争者一样才好。

一二　态度是一种资本

一个青年人要希望成功，诚实是很要紧的，自信也是很要紧的，但是，更要紧的还是很好的态度——和气、有礼。做什么事都一样，两个人一同去谋一个位置，自然是那一个有很好的态度的到手。第一次的印象最要紧。一个粗头粗脑的粗俗鲁莽的人，叫人看见，登时便会有一种偏见；态度不好，任何人的心里都是老大不然的，一定要把大门关起来，不让我们进去的。一个态度很好的人，那怕是他的面孔难看，那怕是他的身体残废了，比起一个面孔漂亮，身体强壮，但态度不很好，既非常粗俗，又非常鲁莽的人来，颠倒是他在世上反能到处通行。

成千成万的职业者，并没有多大的能力，但是他们却无往而不利，只不过是因为他们有那和气有礼的态度。有许多医生，名誉很好，是一个成功者，因为他很和蔼，很慈心，很客气，很有礼，替人看病很仔细，所以他的朋友、他的病人，对于他很感激，到处介绍他。有许多成功的律师、牧师、商人，他们的经验也一样。

皮波狄（George Peabody）在一个店里做同事的时候，他拿不出客人要买的货色，有一次，他曾陪着一位老太太到一个别的店里去，帮着她把她要买的东西买成。后来，那位老太太去世了，她立遗嘱的时候，对于这一件有礼貌的事，还应许了物质的酬谢。

著者知道有一个穷孩子，他在一个乡下租了一间房，开了一爿小店，并没有多少一点资本；但是，他非常有礼貌，很会做生意，所以大家对于他都特别关心。女太太们坐着车子光临他的小店了，他到车边去迎接她们下车，把马牵到树荫底下去溜着，要是冬天，他还拿出毯子来盖在马身上，总之，只要能够得到顾客的欢心的事，他都做。因此，有许多人，竟从很远的地方跑来做成他的生意，帮他的忙，希望他的生意发达。他后来竟成了一个很有声望的公民，一个企业家，在几里路之内，他开了好几爿像模像样的店。

有许多店家的生意很兴隆，因为当权的人有能力选择得几个人品很好、态度又很好的售货员去代表他们的店。真的，有许多店家很依靠着这几个人品好、态度好的人，如果他们走开了，生意也就跟着他们一齐走掉了。有许多沿街叫卖的人，和大商家发生了十分密切的关系，大商家都要靠着他们，但有的时候，大商家宁可不同他们做生意了，宁可去和那些他们愿意和他们做做生意的店家直接往来了。

巴黎有一个大店，叫做帮买齐（Bon Marché），这个店家的创办人最注重和气的态度，他们的营业很好；纽约有两个杂货店，一个叫派克（Park）的，一个叫特尔发（Tilford）的，也因此得名。

要把生意做好，你拣选你的店员的时候一定要有一点辨别力。你们的售货员一定要个个都有礼貌。一个有好组织的店，第一件要紧的事情就是大家要有礼貌；要你的店员有礼貌，最好的方法是你自己是一个很有礼貌的样子，做他们的榜样。待你们的店员，不能过宽，却也不能过严。你应该使你的店员个个明白，他或她都是店里的一个重要的分子，个人的努力是很重要的。只要能够使得你的店员舒服的，快乐的，你都该做到；亲爱比严厉更能得到他们的忠实的服务。而且，待遇得很好的店员便是一个很好的广告。大家都会同人说起他们是在某一个店里做工的，大家都会同人说起东家对于他们的待遇是怎么样的。不要忘记这一点：这是很重要的。

好的男女售货员是有同情心的，是很和气的，是长于社交的。他们的友情的表示，比起不自然的满口夸张来，更能叫人愿意。零卖商的店员如果教得很和气，又肯帮买客做事，又有礼貌，格外有利。如果一个店员的质地很好，那怕他在店里的待遇算不得是怎样的称心如意，他也很肯服务的，很和气的，做起事来也很轻快，对东家既很忠实，对顾客又很和蔼可亲的。大商家的当事人总希望着售货员能够吸引许多人常常到他们的店里来，但最好是不要带一点勉强求人买货品；他们应该记着，一个走进店里来的客人，不管他是一个顾客不是一个顾客，他总是店里的一个客人，应该好好的招待。售货员是店东的代表，待人接物，不应该硬腔腔的，因为一个店家和大家必须先要养成很好的感情。

我们常常会看得见许多青年男女，在半路上，便不能上轨道了，因为他们在年轻的时候，不曾有人教过他们，和气与有礼貌的态度是很重要的。结果，他们长大的时候，总是傲头傲脑的，态度很粗俗，很鲁莽，再也不会做生意。总而言之，很不好的态度，很粗俗鲁莽的样子，妨碍着他们的事业，使他们不能有丝毫的进展了。

如果任何一个小孩子，从小便教会他怎样是很好的态度，很有礼貌的样子，到了青年时期，无论男女，都会使你诧异，他或她怎么会这样习惯成自然了。别的事情也一样，一个能上进的店员一定是态度很好的，行为也对的，种种都会不错的，这种的好习惯，的确是很好的资本，比金钱还好。有亲爱的行为与态度，又受过很好的教育，又有能力，一定能够胜于那些又有钱，但不为人们所注意，而性情又不好的村夫俗子的。我们能够到处看得见许多青年男女，拿很大的薪水，因为他们很有礼貌。真的，到处都在访求那些有很好的礼貌的人去当主任，当售货员，当旅行的代表，当书记，当私人秘书，或者是当会计的。真的，行为与态度，的确很重要，什么地方都在寻求有这种特长的人。实在没有别的长处，比这个更能使人进入机会之门了，使人更能得人心了。

使人更能在社会上处得很好的了。

礼貌与生意的关系，与社会的关系，真像机器同机器油的关系是一样的。机器上了油，磨擦起来的时候，不会发出震天价响的嘈杂的声音来，闹得人们头痛眼花的。

这真是一种很大的快乐，很大的舒适，当人们进入一种受过和谐生活的训练的社会的时候，随便他走到那里，他感觉到的无非是那里的人们布散出来的空气，完全是充满了亲爱、好感与相助的精神。

态度好的人一定有美德，他们的性情也一定是很好的，他们一定同人是很和谐的，不会时常恼怒的，不会有什么叫做虐待的行为，也不会有那你触犯我，我触犯你的事故的。

一三　神经过敏与成功

有许多人有一种天生的毛病，接见不熟识的人们的时候便觉得索然无味。这种脾气是可以改掉的，也非改掉不可，如果他要做一个很成功的商人。有许多人，太于神经过敏了，所以在世上再不能努力上进。著者知道有许多青年男女，受过高等教育，做的行业也很适当，但犯神经过敏的毛病，经不得一种批评，听不得一种讨论，所以他们的能力实在可以做得到的地步，他们再也做不到。在办事间里，在店里，在工厂里，或者在什么别的地方，偶然碰见一种实在不足道的事情，他们的脑筋便受了很大的刺激了，创伤了。他们的心中目中无时不有一种恶念，既弄得自身很不快活，又连自己的工作效率也大大的减低了，摧残了。

太于神经过敏的人往往都是些差强人意的人，很有生机的人，见多识广的人；如果他们能够把神经过敏的毛病用力矫正，他们一定都是些很能干的不背天良的工作者。这实在是一个弱点，一种短处，一个很大的弱点，一种很大的短处；这种毛病，既不是自尊自大，又不是自夸自负，也不是虚想幻想，乃是忸怩作态的样子，种种的不自然，自己作弄自己，什么事情，从他眼网里经过，会像电光那样放大的。害了神经过敏的毛病的病人，无论他走到那里去，无论他做一件什么事情，总觉得他是大家的注目之点，所有的眼睛都在看着他，什么言论也都在议论着他，一切的一切也都是集中在他身上。他觉得人们都在议论批评着他的一举一动，他的为人，而且都在笑他的用度的不当；其实，事实上，他们连想也不曾想到他，连看也不曾把他看在眼里。

神经过敏是有害于快乐的，有害于成功的，有害于健康，——神经过敏的人最不和睦，不和睦最有损于健康——有害于自尊心的，任何一个青年男女都不愿意犯这种毛病。要做一个健全的人，必须觉悟，万不能倒行逆驰，要注意到自己的价值，要注意到自己的尊严。他应该对于一切的妒忌的批评，一切的非笑，毫不畏惧，毫不在意。有人告诉提奥奇尼斯（Diogenes）有许多人都在嘲笑着他，他回答道："并没有什么人在嘲笑着我。"他觉得那些在暗地里嘲笑着他的人，是在自己闹他们自己的笑话，是在自己作弄他们自己。

多多和人们接触，是一个最明显的医得好这种不健全的神经过敏的毛病的方法；同他们接触的时候，最好不要自以为自己的能力与智慧都在别人之上，最好是忘记了自身，撇开自己。除非你自己觉悟，自己明白，否则你是不能做到很好的地步的；纵然你有很大的能力，能做得到的话，也是做不到的。要克服这个成功的大仇敌，必须有坚强的意志，坚强的决心；但是，别人已经做到的，没有做不到的。有许多有神经过敏的毛病的人，不是一朝一夕了，很多年了，经过异常的努力，结果，他们的毛病明明都好了，明明都得到了正常的征象了。

文雅的态度，舒适的态度，庄严的态度，大部分要靠着人们的精力，但是，自信心也是很重要的。胆怯和神经过敏的毛病的患者，免不了拙笨，因为他们的意识上无时不在注意着别人对于他们的态度。他们总在想着，别人大概都在注意着他们，都在笑他们不曾把拙笨的毛病改掉，都在猜想他们是落后的，真是赶不上脚步的。

要我们自己不作弄自己，第一个救济的办法就是我们要相信我们都是些要怎么样便怎么样的人，久而久之，拙笨的毛病，毫无益处的担忧的毛病，自然一齐都会好了的。大主教惠特力（Whately），天生有一个胆怯的毛病，神经过敏的毛病，总觉得什么人都在注意着他，也不知道吃了多少苦楚，再也想不出一个方法来医治；后来，他下了一个很大的决心，对于什么人的意见都不去留意他，不管人们怎么样，他总是一概都不去理会，也不空想着有什么人是在注意着他；不多几时，这个累他不轻的毛病竟很快地完全好了。

一四　妨碍成功的怪癖

一个做东家的人，对于一个去谋一个位置的人的什么小事情都认为是影响很大的。应该注意的地方不曾注意，或者是外表——衣服、领子、硬袖、指甲、头发——或者是说话不小心、满口粗俗话，或是和经理谈话的时候死实实的光着怪眼直视着他，忘记脱去帽子，拿着一枝香烟，或者是看得出有吃香烟的习惯，或者是有很坏的脾气，粗鲁、无礼貌，或者是有许多其他的种种小枝小节，这种种，往往都是许多青年人进步的很大的障碍物。

有许多青年人的古怪脾气，都是在平时不知不觉的养成了的，在他们的态度之间也就不知不觉的现示出来了；如果他们自己明知是一种很不好的脾气，如果又有人把怎么样可以养成良好的习惯的秘诀告诉了他们，要把什么坏脾气改掉、矫正，其实是不很难的。

许多青年人委实都不知道一种和蔼可亲的态度是与成功有很大的关系的。有什么人愿意去和那些粗暴村俗、不合口味的人亲近，而不喜欢去和那些和蔼可亲的朋友们终日相处？我们在世上，要找的是愉快、是欢乐、是和谐。我们总不愿意到那黑漆漆的，冷冰冰的，到处是愁眉绉脸的地方去的；只要看见是格格不入，毫不舒服，再不和谐的环境，没有不是掉转身来便要跑了的。

纵有很大的才干，如果有很古怪的脾气，也没有用处。有许多青年男女，时常觉得奇怪，他们实在受过高等的教育，也有很大的能力，也有很丰富的经验，但是，他们的位置怎么也会掉了不保。他们并不知道，因为他们有不和睦不易与的古怪脾气，又有令人感觉不愉快的态度，他们的东家不好意思对他们明说，只好用一种不很难堪的话语好好的辞退了他们，把他们的位置换给那些脾气很好的人了。

做东家的人最不喜欢凶悍的人，愁眉绉脸的人，神气沮丧的人。他们最喜欢的是那些聪明伶俐，活泼快乐，有生气的人。轻浮浅躁、多嘴多舌的雇员，专会奉承，专会找人的错处，专会在暗中笑他笑你，他们，其实都是些到处不通行的人。

那些又刚愎又固执又自是的人，总常常以为自己是无有不对的，又很怀私，又胆大妄为，自大自负，专吹法螺，满口是什么事情是他做成的，什么事情他也会做，这种人，也都是没有用的。

专门攻击别人的人，专门切切的议论他人的人，多嘴多舌的人，时常在同事之间闯祸闹事的人，这类的人，也都是不能上进的。

最有害于生意的，有害于事业的，往往不是由于大事故，却是由于对于有些枝枝节节的事，大意忽略，毫不留意的原故。第一坏的一个有害于事业的成功的小障碍，乃是不柔和。一个一点不心平气和的售货员，因为不耐心、不耐烦、无礼，真不知道赶走了多少生意！又有许多编辑，因为脾气不好，兴奋、薄待、冷遇，竟不知道失掉了多少很有价值的投稿者，多少很有价值的著作家！也不知道有多少旅馆的主人，或是账房，因为待客简慢，招待不周的原故，走掉了许多很好的客人！

这里还不过是狭义的说说不和气是不能得到物质上

的成功的一个原因。说到这种力量，可以叫家庭、街上、学校里面、店里、办事间里、市场上，以及其他的许多地方的生活愉快、甜蜜，那么，他的价值，在那些绝对的成功者看来，实在不知道要大到什么田地呵。

每一个青年男女，对于任何一点可以使成功不可能的小事，实在都非注意不可。举例说罢，或者是发神经病似的伸出你的手来，或者是一件东西明明是在手边，却用指头乱摸，怪模怪样的，坐立又都不是很庄重的样子，走起路来又好像是在烂泥田里似的，又有一种专说性恶的不亲爱的事件的习惯，——这些，都是很有损于成功的可能性的。

有许多人的脑力很强，身体也很好，开手做事的时候，抱了很大的希望，但是，结果失败了，不能得到多大的成功，因为他们有很大的怪癖，他们说话的态度是很奇特的，又有许多事情，与他们毫无关系，是别人的事情，别人不以为错，不以为恶，他们颠倒跑来说是错的、恶的。

如果我们可以把所有的有损于成功的事情一齐都写下来，如果我们可以把每一件小事情对于成功的害处在什么地方都计算起来，真有很大的帮助。

譬如说，某一个青年不能上进，百分之二十五是由于脾气太坏，生性不和气的；某一个青年是由于衣服穿得太不当心，现出一种不成体统、不整齐的样子来；又是某一个是由于他的嘴从来不肯让人。

有许多聪明能干的打字员，不能上进了，失败了，因为她的脾气太坏了，使得她的东家感觉得很苦恼，虽然他也承认她的能力是很高强的，但是他不能不另外喜欢一个能力比她稍差，但很和气，较易共事的打字员了。许多人不能上进，他们都觉得很奇怪，但是他们再不知道唯一的障碍是太不柔和了。

不和气的有害的愚蠢的习惯，往往是不知不觉的养成的，往往是我们再不能成功的很大的障碍。青年男女们，立志要成功的朋友们，应该时时检点他们成功的资本，像他们研究别人的事功似的，要把他们进步的障碍寻找出来，要把他们的无损于人而有害于己的含有危险性的不幸的习惯或怪癖一齐都寻找出来。如果在这种严格的试验之下，能够找出一种弱点来，一种错误来，是他们可以改正的，——这是任何时候都是可能的。——

他们便不应该责备任何一个别人，只应该责备他们自己，如果他们到了中年的时候，看见自己是很不快乐的杂在那些“原该如此”的队伍里面。

一五　庸懦的障碍

行为上的弱点很多，最不容易医得好的是天生的庸懦。

一个闲荡的青年是没有希望的，他一点也不敏捷，也没有生气，连坐立也不能挺直。无论一件什么衣服，穿在他身上，总是不整洁的样子；无论一件什么事情，在他手里做着，总是一塌糊涂的样子。他是一个好像没有背脊骨的人，连自己的一身也是管理不好的。无论他是做一件什么事情，写一封信也好，跑一两个地方去接洽事也好，开口说一两句话也好，总而言之，他的一举一动，无非是不整洁的样子，庸懦的样子。

庸懦真是一种很难医治的毛病，要希望他好，只有放出勇狠的办法来痛改。有时候，庸懦的人们也要拿出他们自己的方法来的，但是，什么方法都不能叫他们不至于饿死，这时候，他们才觉得有点着急了，要帮帮自己的忙了，他们这才提起一点精神来，拿出一点气力来，上谋生之路。

我们在这里很热忱地希望着每一个青年十分小心，不要犯庸懦的毛病，因为这个毛病是很容易传染的。我们知道，在许多家庭里，许多学校里，许多社会里，都中了这个毛病的毒了。我们到城里去的时候，到处看得见的无非是庸懦的空气；到乡里去的时候，看见闸也倒了，遍地荆棘，谷仓以及房屋都不曾油漆，——总而言之，一眼看去，无非是一片荒凉的样子，霉烂颓败的样子。

不要同那些蹋着鞋跟的无志气的人做朋友，要像不要接近那些染着天花的人一样。他害了这种道德上的毛病，那怕他下决心要抵抗它，他的生活，无论怎么样，已经受着很大的摧败的影响了。

一个毫无决心、迟疑犹豫的人，他的游移不定的踟蹰的态度，很容易传染着别人。帮他做事的，除非自己有一点特别力量，一会儿便会染上这种毛病的。他始终不知道他要做什么才好；他始终是骑墙的，中立的。这是一定的，他的雇员又不能替他作主。店里的一切事情都不能进行，他是一个唯一的障碍；店里的空气，无非是什么都不曾决定的样子。一切的命令，都不曾完全执行；信件，只写了一半；应该修理的地方，还在等待命令；总而言之，什么都像是“一个不响的炮”。那里的空气是消极的。这种的东家真叫他的雇员不能忍受，因为最困难的是他再不能让他的雇员明明白白的知道他到底要他们怎么做，希望着他们怎么样。

犹豫不决的习惯，是很有害于成功的，有害于人格的修养的。对于什么问题，这样称来，那样量去，左思右想，非逼到不得已的时候，再不解决，这便是一个懦弱的人。久而久之，决断力会完全没有了的，害了这种病的人，不但对于他们自己的决定都不信任了，连那任何人任何地都应该有的一点力量都会完全消失了的。没有决断的人，什么事情都是悬而未决的悬案，非常因循，发表出来的意见，无非是消极的样子。他们对于自己的能力都很怀疑。有决心的人却有积极的精神，他能增加你的做事的力量。他有真知灼见，他有毫无疑义的深信。你会感觉得，在你面前的，不是一个懦夫，乃是一个男子。他知道是不错的话，他便说出来了；他知道是他非做不可的事情，他便干起来了。

《小总长》里有一个角色，他说是一定要把一棵碍路的树砍掉。他再也不曾把树立刻砍倒，树依旧在日长夜大，那位先生却已经老了，树依旧还是站在那里。“我老了，”他说道，“要找一把斧头了。”有一位美术家，他对于画一幅童贞女马利亚的像已经有了一个很好的概念，他很热烈的对着他的朋友们说了，但是，他的态度还在游移，还在想着怎么样着色，到底画一个什么样的姿势好呢，觉得这也还不妥，那也还不妥，始终又不曾画起来。但是他又时刻在想着这件事，竟连其他的事，什么也不能做了。他要死了，他觉得很悲伤，他的光荣的理想不能实现了，他无时不在想着要把他画成的一幅好画，始终不曾画上画布，给人们欣赏，又替自己争得一点名誉。

这真是一种最可怜的景像，一个人，对于什么事情都让他永远陷在一种未定的状态里面，始终没有一点力量可以拨开任何一方面的阻挠。生活的奖赏竟给迟疑犹豫的态度生生的断送了。

一个动手做生意的人，起头就是冷冰冰的没有一点精神，又不热心，根本便没有一点能够成功的热忱与信心，一定是只有失败的。

世界上的大事，没有一件是没有一点热忱可以做得成功的；也没有一件是没有坚强的意志可以做得成功的；也没有一件是没有那不畏一切困苦艰难，只要是对的便下决心一定要干成的精神，可以做得成功的。一个迟疑不决的弱者，一个冷冰冰的，毫无精神，又不热心的人，不能叫人仰慕他，不能引起别人的热忱。什么人都不会相信他的。只有那些有积极的精神的人，有能力的人，拼命努力的人才能产生信用。那些不能得到别人的信用的人们是很难成功的。

无论你担任着做一件什么事情，一定要用全身的力量去干，一定要用全副精神去干。便是写一封信，做一点杂事，都应该用出你的所有的气力来。无论是一件什么事情，你要做的话，一定要做好；否则会养成懒惰弛怠的习惯，这是很有害于你的一生的成功的。

世上有许多人都在哭泣着他们的命运不济，都在怜悯着他们自己的运气太坏，不能像别人一样的成功。事实上，他们的失败的原因是由于太不用心了。他们不能把整个的魂灵放在工作上面去。他们做事的时候只用他们的指头尖。他们老是冷冰冰的，毫无精神，又不热心，做什么事都是那么一种心不在焉的样子，既不敏捷，又不耐心；他们没有一点一定要排去路上一切的障碍的雄心，他们的精力不像那铁链似的，一环一环的连系起来。

老是冷冰冰的，不用一点精神，又不热心，只是马马虎虎的做一做，决不能成事。要成事必定要有决心，肯用劲，又敏捷，又有一点正确的判断力。只有那些有热忱的人，有澎湃的热血的人，有精密的脑筋的人，才能推动工作，才能向前迈进。

我们时常看得见有许多东飘西荡，毫无目的，随波逐流地过日的人。他们都是些什么也没有把握的人，被那些有决心的强有力者挤到一旁去的了；他们没有了希望，停止奋斗了，做了飘泊者了，只是听天由命地在那茫茫的人海里到处在飘流着了。

青年的朋友们最容易患的一种最危险的事情便是没有一点很好的理想与见解。他们有时候会不知不觉的流到水平线下去了的。他们安于平庸，安于卑劣，安于枯萎，安于低级的生活，安于无味的生活，只抱着一种甘居下流的宗旨，过了一天算一天，再也打不起精神来，放得出推动一切的力量来，把他们的地位稍稍提高一点了。这种富于戕贼性、枯萎性的歪邪的旨趣，实在是由于理想不高明，见解不高超，但是，有的时候，这种歪邪的旨趣竟会实现的！青年的朋友们因为没有终身大计的原故，陷在一种很无希望的境地里，要想他们明白，要想促他们觉悟，真是一件令人丧气、令人灰心的事。对于那些初出学堂，满怀希望，正开始做事的人，还比较的容易。不过，在他们遇着了失望的时候，经着了失败的时候，他们便好像一点劲也没有了，一点刚气毅力也没有了，再也不能利用反感叫他们再起了，他们老是放平躺着，一动也不肯动一动的了。

当然的，有许多失败的人，他们自己并没有什么过错，但是，有许多委实是因为他们的弱点太多了，缺陷太多了，所以在半路上，放弃了他们的正当的目的，不再努力向山上爬上去了。真有许多人，太没有坚强的意志了，太没有忍耐心了，太没有果敢的决心了。这些不幸者，如果他们能够认定一件事，努力干去，再不放手，他们至少还是可以得到相当的成功的。

一六　判断力

现在到处需要的青年是那些有一点创造力，创造得出一点东西来的青年，是那些有生产力的青年。有许多青年，只能做例行的工作，只能做指定的工作，只能做那些别人已经计划起来，叫他依着细目照做的工作；只有那些富有创造力的人，富有创作力的人才是难能可贵的，因为，只有他们能够开辟新路，只有他们能够做别人的先导。

一个有思想的人，有创造理想的人，有创造方法的人，有生产力的人，一定是有酬报的。保险公司里正在四乡找寻这样的人；大商家也正在需要他们；大公司工厂里也正在访求他们来做领袖；法律界、商界、科学界，以及其他一切一切的地方，没有不在需求他们的。

有那神速的判断力，又有那坚强的判断力的人的机会，比起那些迟疑不决、优柔寡断的人来，大得多了。决定一事了，又三翻四覆的考虑，这个脾气，应该一刀割断，因为这个脾气最容易减削你的判断力，最容易斫丧你的精力。

有一个最危险的习惯，是青年人最易犯的。一件事情，明明已经称过了，量过了，考虑过了，也已经决定了，他会把那正面反面，前面后面的议论一齐都拿来，又来左称一番，右称一番，左量一番，右量一番，左考虑一番，右考虑一番，结果，一定要弄得自己纷乱不堪，连自己的脑子也不相信起来，再也不能重下一个清晰的决断的地步。这种的习惯最会分散人的精力，任何人只要犯了这个毛病，一定是失败无疑的。

一个希望成功的青年，他必须坚决的决定，切切不可犯上那连一点决断力也没有的毛病；他应该抱定一个宗旨，宁可受一点错误的痛苦，不可永远都在犯着那对于某一件事一定要重新再做一过的毛病。大凡一事到手，如果不曾经过正确的考虑，不要便匆匆忙忙的动手；他应该先做一番判断的功夫，把事情决断下来，不要再去做那对于正面反面，前面后面的议论，三翻四覆的考虑复考虑，迟疑复迟疑的功夫，只管放出力量来把事情做成功好了。如果他发现了错误，也不要灰心，也不要沮丧；他的顿挫是他的一种新经验，于他的将来是很有益的，他可以因此得到更好的经验，更能增加他的坚强的自信力，更能养成他的不可动摇的神速的决断力的。还有更大的价值哩，从此以后，他只要遇到要作最后的决定的时候，一定比较的成功了，不复再把那前思后想，横称竖量，考虑复考虑，一会儿又要这样，一会儿又要那样的三心二意的毛病，始终是愚蠢地陷在一种游移不定的境地里生活着的了。

有许多人真个有一点很大的能力，但是，再也不能有一点很大的成功，因为他们的判断力太弱。他们好像再也不能独立做事。那怕是一件很小的事情，他们也要看看朋友们的情形怎么样，还要去同隔壁邻舍商量商量，才敢说是怎么做。他们又一定要左想过来，右想过去，弄到脑子不胜其烦才算；有的时候，他们越思想，越商量，越糊涂，一直弄得一点结局也没有。因为根本便没有一点判断力，更谈不到判断神速不神速，所以他们终其身的生活是一种迟疑不决，三心二意，柔优寡断的生活，连一点气力也没有，论起来，他们的能力实在是可以达到的成功的境地，他们始终是不能达到的。

成大功的人，他们一定有一种立即乘住时会的能力。只要他们的所见是很清楚的，他们对于任何一种客观的事实也很了解的，他们对于结果也已经毫无疑义，他们便毫不迟疑的干去了；所以，有许多事情，只要是他们立志去干的，都干到了很成功的地步。

有些干大事的人，他们并不要拼命的用上许多气力，好像一定要把他们的精力、气力，用到差不多可以说是没有了的地步的。举例来说罢，摩尔根先生（J. Pierpont Morgan），求他的巨大的计划实现的时候，便好像并不很大费气力的样子。他好像很舒服的样子便达到了他的目的了，因为他有明确的理想，又能强有力地乘住时会。

钢铁的器具放进我们的船坞里的工厂里的杠杆钣的时候，真很容易，出来便是很硬的钢片了，看去真像一个厨子捏面团似的，因为推动机轮的动力太大，用不着什么大轧，用不着什么大力，什么困难便都解而决之了。会做工的人也一样，他们有很大的智慧，他们能够控制得住很复杂的情形，他们对于任何错综复杂的状况都是很清楚明白的，所以，他们能够成就很大的事功。

这种的心理可以算得是胸有成府的了，自立的了，有确信的了。他们遇见朋友，遇见认识的人的时候，决不会留住他们长谈，横问竖问的问着他们对于他的计划的意见究竟是怎么样的。对于他们下面的，对于他们的平等的，他们再也不会去同他们商量讨论的；他们只是很审慎地研究，要把根本研究得明白，像那会作战的大将一样，在开战以前，一定要先把作战计划拟定，仔细研究一番，然后再命令他的军队去出发作战。

一个又有智力又有判断力的人，一定是很积极的。他们知道自己所需要的是什么，再不会骑墙中立的。他们从来不是优柔寡断的，专去问人的办法，专去问人的意见，又时常恼怒，白费时间的。他们一经拟定了他们的步骤，自来是既不迟疑，又不三心二意的便依着他们的步骤干去的。

举一个很好的例来说罢，有这样的魄力的人，要算英国的一个军人，吉青纳将军（Kitchner）了。他是一个当代的人物。他从来不多话，非常严肃，有一种屹不可动的模样。他的主张一经立定，这位百战百胜的英雄，他便集中所有的力量去干，真像是一只狮子。他不要人的帮助，拟定了他的计划以后，他便放出巨大的引擎的力量来，精密地求他的计划的实现了。和南非（South Africa）开战的时候，有一天，他出发了，他的行动的意向，只有他的参谋总长知道。他的命令只叫预备一个火车头、一组卫队、一车士兵，一面命令净路，什么别的事情都不许来麻烦他，也不许预先发出电报警告。他要到的地方不许预先知会，他的军队里没有一个长官知道他会在什么时候，什么地方出现。

又有一次出征南非，更能看出这位将军的惊人的特性。有一天的早晨，约摸是六点钟左右，他也不预先通报，便走到开普城（Cape Town）的纳尔逊旅馆去详查旅客名录，他看见有几个军官的名字，应该还是在值班的。他也不对任何一个说上一句话，他亲自跑进那些违犯军法的长官的房间里面，留下一个通告："上午十时，特别车开赴前线；下午四时，兵船离此，开往英伦。"他不要听什么请求原谅，不要听什么陈述明白，也不要听什么求恕请罪；这是他的"哀的美敦书"，他的军官，没有一个不知道他的意思的。

他很积极，他很镇静，他觉得在最紧要的关头，大家都有责任，所以，无论是对于那一件事情，便是对于他的下属，从来是管理得很严的，从来不存一点客气的去指挥他们，无论他做的是一件什么事情，他一定要做成功，你可以看出他的力量来，也可以看出他的广大的胸怀来。他不要人们的颂赞，不要人们的阿谀，他从来没有一点下等的夸大的心思，他觉得社会上的地位以及极细微的小枝小节，都应该随时随地有一点明耻之心。他的为人，天生有力，无论做一件什么事情，他总是很镇静的干去，一定要把他的主张实现出来，成败利钝，在他好像是很有把握的。

这位百战百胜的将军，实在是一个很亲热的人，但是，在事实上，他的下属，却都不爱他，只畏他；不过，他是很自信的，他又能专心，他又很机警，他又有判断力，他又有决心，他又能神速地乘住时会造成一种时势，这却是任何一个希望成功的人非修养不可的。

一七　商业训练的重要

商业的权力类似君王。干专门职业的人，或是专家，心胸一定不免狭隘，因为他们的创造力，他们个人的特性，都是榨出来的。自然最不满意于片面的发展，任何一个人，把一部分的精神完全用在一件事上面去，便是做着一种专门的职业，是很吃亏的。自然最赞成的是均匀的发达，相称的发展。商界里的事业，比一般专门职业者、专家，有利得多。只有在这种地方，人们能够得到均匀的发达。慎重稳妥的人，照例，往往是很好的商人。他们都是些受过普通教育的；他们无时无刻不需要注意着很好的机会。无论是那一种训练，如果不能锻炼你的能力，便要损害你的能力。专门职业者、专家，他们的常识往往一定比不上商人，因为商人的训练是多方面的。现在，专门学校里的毕业生，一大半都是要走进商界里面去的。不久以前，我们的许多学生，大半是学法律的。大家都觉得很适宜，如果学了法律，便能做一种需要一点学问的职业方面的事了。如果有一个青年，他一面在学校里读书，一面又宣言他将来一定要干商业，除非他是一个很有一点勇气的人。五十年前，进商界去做生意好像是不很高明的；但是，在现代的新文化的立场看来，我们国内的商业正在大大的发展，有许多商界里的人已经成了大王，在商界里，到处有许多商人已经得到了他们的很光荣的奖赏了。

做生意虽说不需要多大的本领，多大的训练，但是，一个学力比较高深，知识比较丰富的人，他在商界里的机会，一定比别人大得多。要在商界里干一番事业，他必定要大大的准备；最好的准备方法是要把他所愿干的那一事业方面的经验，一齐随时积累起来。一个少年人，进了一个商店，他从这一个位置做到那一个位置，他在这种实际工作里一定能够学习得到那一件事业上的许多学识的。凡能仔细考察的人一定能够胜利。有一位大商人说："在我们店里，没有一个不是从梯的末一级向上爬上来的。古语说的好，雇员注意东家的一切利益便是顾全他们自己的利益。如果任何一个青年人，在他初进商店的时候便记住这一个原则，他将来是无有不成功的。照例，无论那一个青年男女要进我们的店，我们一定要先考试一考试，凡是有毅力的，比较优秀的，他们迟早是能够得到一个位置的。”

商界里最需要的青年是那些对于商业的情形很熟悉的人，是那些对于商业这件事完全明了的人。做东家的无时不在访求的，是那些很勤劳耐苦，眼灵手敏的、又有决断的人。这种青年，对于一事到手，对于一个计划，一定是很能努力求它实现的，也一定精细，一定敏捷。在现在这一个世纪里，如果能专心干商界里的事业，也有能成大功的。一个初进商界的少年人，他第一要把商界里的情形注意得很仔细、很明白，不能随便有一知半解便算了。没有一件小事是不值得他的注意的，也没有一种劳动是他不能胜任的，也没有一种困难是他不能克服的。

我们到处看得见有许多青年，他们好像不愿意一定要成就什么大功，他们只把某一事业的某一部分的比较欢喜的事拿来做着，把别的较难的，觉得丢丑的，不欢喜的，便丢过一边，再不做它。这好像是士兵们占领了敌国以后，对于他们的炮垒，不加毁坏，让它这里也还有一个，那里也还有一个，结果，从后面打来，把他们不知道打死了多少似的。要得到最大的胜利，你必须征服一切。怕做苦差使这种脾气是很要不得的。

“因为不曾充分准备，所以无知无识地出了轨道了”，这真是许多失败者的坟墓上的一个最恰当的墓志铭。有许多青年人实在是很努力的，可惜他们从小的时候不曾充分的准备，非走干路不可，所以有时候不得不走在支路上停住，不能前进了，戴不上尊荣的桂冠了。

在华盛顿的专利局里，真有许多毫无用处的还在胚胎时代的发明竟盖了图章了，这种要求特卖权的人实在太无知了。他的确有一点发明的能力，但是，他并没有专门技能的学识，不能作更进一步的研究，使他更能成功。如果他的求学志愿，不半途而废，他是不会在很危险的境地里站脚的。我们的职业介绍局里也不知道有多少体格极好，又很健全，又有知识的人挤在那里谋事，这真是一种很可哀的现象。他们不能把他们的位置保持长远，因为他们不曾积蓄一点更能向前做事的力量。他们的根柢是很浅薄的，他们的准备又不充分，他们对于什么事情又都很大意很忽略。什么人还要留住他们一同服务呢，因为他们无论做一件什么事情都是做不好的，做不成功的。

西班牙有一句俗语，道是："一个不留心的人，走过树林，看不见一根柴。"真有许多青年人，对于什么眼前的事情，都没有一点感觉。要说起少年人，有的很好学，有的不好学的分别来，真叫人惊异。有一种少年人，在一个店里做上许多年了，但他们对于生意怎么做还是一点莫名其妙；他们从来不睁开眼睛，注意着一切的事情。却有些少年人，只消费上三个月的时间，什么便都知道了。

我知道一个少年人，他是在一个律师事务所里做事的。他的薪水很小。他做了三年，不但学得了许多做事的方法与知识，不但能办所里的一切的事务，而且，在工余的时候，再到法律学校里去学一点，他竟毕业了。我又知道另外有许多少年人，他们也是在律师事务所里做事的，他们做的年份很久了，但是他们什么也不曾学得，依旧是很愚蠢的样子，只拿得一点很小的薪水。他们同样是少年人。这一个是立志要成功的，所以他能仔细看事，乘住机会，随时要求学识上的进步，办事方法上的进步的。别的那些少年人呢，不幸同他是恰恰相反的。

我有一次用得一个青年，真很忠心，真很热诚，真很笃实，但是，他不能上进，因为他不很好学。他的脑子里好像很不容易有一点新思想，一点新见解。他对于日常的工作真做得非常忠实，非常可靠，也从来不误一点时间，也一点不偷懒，可惜他不好学，所以再不能有多大的进步，多大的施展。

我也曾用过另外几个少年人，他们对什么事都很注意，都很留心，他们的进步很快，因为他们时刻是在一心一意的求着学问上的进益，经验上的积累。他们的好学的精神，真像一个口里作渴的人要水来喝一样的急迫。他们对于做生意，简直是当作一个学堂，要努力，要用功，要站在一班的前面似的。

一个有为的少年人是很明白的，他要出人头地，一定要对于他所择定的职业认真学习，必须学得什么都懂，都明白，都清楚。他的眼睛是睁开的，没有什么事情不是他在注意着的，他是很机警的，他无时无地不在追求知识，积累经验，学习方法，研究组织。

他觉得得到一点钱还不是一件什么特别重要的事情，他对于学习做这一个行业的机会，颠倒看得很重要。那一桩事情是怎么样做成的，和人接洽事情的情形是怎么样的，总而言之，随便那一件小事，他都可以学习，他都可以把方法比较比较，探得东家成功的秘诀的。——这种种能力，如果他都学会了的时候，比起他的薪水来，价值自然大得多了。他一想到这种可以学习，可以练习的机会，做起事来，自然是心满意足的样子了。

工作完了，到了夜里，一个聪明伶俐的有作为的少年人，他把日里亲眼看见的事情，心里记得着的事情，做生意的方法，某事是怎么样应付过去的，都会研究得明明白白，想一番的。这种的价值，比起日里做工得到的几文钱来，实在大得多了。他知道，如果有一天，他也能干出一番事业来，他的进入，比起这时候一年的薪水额来，一定是要多到不知道多少倍的！

学会怎么样做事是最有价值的。

我们国里，现在真不知道有多少少年人都在怨恨着他们的薪水太小了，他们太没有机会了，但是，他们却不知道他们已经走上了经商的大路，已经是身在一个最适宜的学堂里面了。如果他们不闭住他们自己的眼睛，如果他们不塞住他们自己的心，如果他们见到可以增加经验的机会便乘住，如果他们遇到可以吸收学力的时候便努力吸收，他们决不会再说“我们太没有机会”了，也决不会怨恨自己的命运太不好了。他们终会明白的，他们实在已经上了康庄大道，只要他们努力前进，打起百折不回的精神来，他们终能到达他们的成功的目标的。

一八　“将就一点过罢”

“唉！将就一点过罢”，“混嘴饭吃吃便算了罢”，“只要保得住我的地位便算了罢”，——有许多青年人，你问到他们有什么进步的时候，他们往往是这样随口回答你的。这实在是他们的很不振作的口供。“只要保得住个人的地位便算了罢”，“将就一点过罢”，或者是只要混得着一嘴饭吃吃便算了罢，这种的生活简直不是生活，更谈不到什么成功了。

振作起来，自然不见得立刻可以使你大有进入，不见得立刻可以使你享受得着更好的物质上的享乐，但是，事实上，的确可以使你的生活，感着异常的丰富，异常的美满。

如果明天果真比今天起劲，昨天一定已经有了很大的进步了。我们无论做一件什么事情，我们应该热烈地打起我们的精神来，我们有多少一点精力，多少一点心力，应该全拿出来去干。我们的工作一定是能够展开我们的体力来的。如果有这样的精神，我们绝对不至于只能混得上一口饭吃。

世界上的首屈一指的大事业，决不是那些“混一口饭吃”的人做成的，也决不是那些“将就点过”的人做成的；乃是那些有坚强的意志，又有极大的决心，又有非常的热忱，又不畏一切艰难困苦的人做成的。他们都像那山上的瀑布似的，奔腾入海，有什么障碍可以阻止得住他，使他不能疯狂地前进呢！

试想一想罢，一个美术家要画一张大画，他却是有意无意的样子，也不很用心，只拿出一点精力来便算了，嘴里天天又还在说着：“将就一点罢！”再试想一想罢，一个诗人想做一首不朽的诗，一个著作家想做一部可以传之久远的书，一个科学家想着解决一个非常奥妙的问题，造福人群，但是，他们工作起来的时候，都是无精打采的样子，不中肯的样子，草率的样子！

格里来（Horace Greeley）说，只有那些心高的人，对做工作异常热忱的人，能产生最好的劳动的成绩。只有这种人是有生命的，有希望的，有远大的前途的。他们不畏一切困苦艰难；他们有决心，他们只知道一往无前的进取。他们的辞典里，从来查不出“将就一点罢”这句话来的。他们有的是新生命，他们天天都在依着他们的意志努力前进。他们从来不管是只进得一寸，只进得一尺，他们总是在走，总是在进，总是在动，这是很重要的。他们时刻在提心吊胆的畏惧，生怕他们的精力不够，不免要做一个勉强混得出一口饭来吃吃便算了的人了。

做工必须学那波尔（Ole Bull）对于他的怀娥琳。人们对于这位大音乐家拿起他的这样乐器来的时候，便觉得很惊奇。他们忘记了，他在儿时，对于怀娥琳，便爱得什么似的。他们再想不到，他只八岁的时候，往往半夜三更偷偷地爬起床来，也不怕他的暴躁的父亲要打他，拿起他的心爱的红色的小怀娥琳来，把那些缠绕着他的梦魂的曲调，一一的拉出。他到了成人的时候，对于他的怀娥琳还是要说了又说的，还是时常要拥抱着它的，抚摩着它的，把他幼年的事，先告诉它一番，再把他的整个的魂灵放上去拉曲的。这件乐器好像也不负他的温存，只要他拿起它来，也不知道要倾倒多少听众，真像深林里的树木，经着狂风暴雨了，都东倒西歪似的了；也不知道感化了多少人，变成温和的样子，正如轻风吹出来的花香一样，不知道慰安了多少人们，如醉如痴似的，老实忘却了一切一切的疲乏了。

父亲又要责备他，又要反对他，如果贫病交攻的波尔对于他的终身工作不是那么一往情深，不是那么专诚恳挚，他能够克服他的不可思议的障碍，成为一个当代的怀娥琳大家吗？

温暖的水终不能发出很大的力量来推动火车头前进一寸的十分之八的。一个青年人，如果不下决心，如果不放出他的全副精力来，他纵然有一身的本领，也只有失败，决不会比那只有一点温暖的水的火车头稍高一筹的。如果一个火车头里的锅炉里的水不是时刻都在沸点，这种的火车头算不得是一个现代的最好的火车头。

有许多人还不曾觉醒。试到一个大铺子，一个大工厂里去看一看他们的工作情形罢。有许多人都是那么不很有主见的样子；他们只能够有的时候勉强打得起一点精神来。这种的青年男女都是些矮子。他们并不知道他们有满身的力量。他们活动到了那种勉强可以过得去的地步，他们便觉得心满意足了，他们只肯拿出一点气力来混上一混便算了。

我们日常遇见的人，有许多也全是这种样子。——他们好像一定要等到他们的朋友用一两句话来逼他们一逼才肯大事活动的。他们自己并不知道他们自己有才干，有才具，有能力。他们从来不把自己的内在的力量考察一番，估计一番，到底有多少气力，他们只肯随随便便的，这里拿出一点气力来用一用，那里拿出一点气力来应付一应付，只要能够勉强维持得住他们的日常生活，他们便觉得心满意足了。他们好像甘心住在山谷里面，但是，从来又不肯爬上最高的山峰，放开眼界来把他们的四周一看。

没有一个青年人能够有多大的成就，如果他不肯打起精神来，如果他也没有真诚恳挚的态度，如果他也不把他的能力展开，如果他也不想着，一切的工作，没有无限的精力下去，决不能有多大的成绩。

有许多人是生来倚赖他人的。在任何一种束缚下面，他们从不发怒。他们要用他们自己的能耐干一干的时候，他们便觉得不知道如何是好了。他们没有一点自信心。他们一定要倚靠着别人，一定要别人替他们思想，替他们计划。他们从来不敢要自己一定练会下一句断语，他们也从来不肯让他们自己的个性尽量发展。真有许多人把自己的能力糟蹋了。他们看见要负责的时候便逃跑了，只站在旁边，渴望着别人来劝告他，指导他，保护他。

一切的位置，一切的可以努力走上去的大路，在那些游手好闲，懒惰成性，毫没脑筋，一无所长的人的眼里看来，实在都挤满了。真的，随便什么地方，实在没有这些无志上进的懒人的插足余地的。世界上正在到处访求的却是那些大有作为的领袖人才，却是那些能奋斗的人，却是那些有主张的人。一个有思想，有理解，有创造力，吃苦耐劳的人，他自有他的广大的园地。一个青年人，只是哭着没有机会，或是哭着大好的机会交臂失之了，老实说，无论他到那里去，他都是不成功的。

那些叫喊着无处可以谋得一个位置的人都是些可怜虫，他们都是些弱者，他们都是些一无所用的人。那些自己相信自己的本身力是可以在世界上争得一个自己的园地的人，他们从来不要对着人们说起，因为没有机会的原故，所以不事活动的。

你决不会想着有一个少年人会这样说的：“我要做一个二等人。我不想做一个一等人，我也不希望能够得到一件很好的事，我也不希罕能够拿得着很多的薪水。有一件二等的事在手里做着也罢了。”这种的少年人，要便是有一点毛病，大概决不是由于心地明白。一个二等人是可以做得到的，只要你不放出做一个一等人的气力来便是了。成千成万的人们实在都在抱着这种的态度，所以二等人真像市场上的卖不出去的滞货一样。

一等的事不能到手，自然只好做做二等的事了。如果你买得起，我想起来，你是一定要穿一等的衣服的，吃一等的肉，一等的面包，一等的牛油的。如果你不要穿，不要吃，你的心里总在想着你能够穿，能够吃罢。二等的不很高明的人也像二等的不很高明的货色一样，不为人们所欢迎的。他们要二等货，用二等货，除非是一等货缺货了，或者是，一等货的价钱实在太高了。做工作是十分重要的事情，非要一等人不可。

从许多事情上面，可以看出一个二等人的特性来。

有一种人，白费光阴，劳精耗神，理解又拙笨，行动又迟钝，他简直没有一点还能进展的样子，这种人，事实上，已经算不得是一个二等人了，只能算是一个三等人了。又有一种人，得到空闲的时候，他便要作乐了，斫丧他自己的精力了，摧毁他自己的生机了，枯他自己的血，坏他自己的脑，戕伤他自己的身体了，结果一定是要弄得自己活像一个在风中飘荡着的树叶一般。这种人，只能算他是一个半死不活的人了，谁还要说他是一个一等人，除非他是一个神经病的患者。

任何人都知道二等人的特性是怎么样的。有许多少年人，觉得吸香烟很神气，不知不觉的也就跟着青年人的样子吸起来了。他们吸着吸着，成了习惯，觉得非此不乐了，这时候，他们已经受着很大的害处了。欢喜喝酒的人也自有他们的种种理由；但是，不问他们的理由怎么样充足，他们吃得那种东倒西歪的样子，总不能算是一个一等人罢。除此以外，还有许多费时伤神的事情，要列举出来，都是些能够使人成为一个二等人的例子。

恶习惯养成以后，它是不肯放过你的，它一定要把你逼成一个二等人的，一定要叫你在那荣誉、地位、财富，以及快乐的竞赛场里，感觉着老大的不方便的。对于身体的健康异常忽略的人，也只有请你屈居在那劣等的地位里面去了。经济学家所说的没落阶级，他们指的是在那些最上等的男女的水平线下的人。有时候，有些人只能算是一些二等的人，或是三等的人，因为他们在年幼的时候，受了别人的恶影响，他便铸下了大错了，一直陷在二等人的境地里，不能自拔了。在我们国里，也有几种教育，有好几种教育，不能予人人以很好的影响。既不能受到很好的教育，又不能得到很好的书籍，又不能得到很好的商业的训练，这也是使人不得不葬送在二等人的地位里的一个很明显的理由。

一个光荣的位置，一个可以干出他的信用与名誉来的位置，必须是他自己挣扎来的；必须是他自己思想出来的；也必须是他用他自己的不屈不挠的精神与气力奋斗出来的。

你占着一个不是你自己挣扎来的位置，有什么味儿呢？你所占着的那个在大家上面的位置，大概是你的父亲给你的罢？要是别人，大概非要忠实地，恳挚地，苦苦的干上几年才能到手的罢？你的位置又不是因为你的功绩来的，你占在那么一个很高的位置上面，好像做不下地，好像吃不住，好像不能胜任愉快罢？你又没有能力，无知无识的，种种都不适宜，时常在东碰一个钉子，西碰一个钉子，你自己看来，像一个什么样子的角色呢？在你下面的那些人的眼里看来，你又是一个何等样的角色呢？

这真是一件很可怜可悯的事情，一个富翁的儿子，或者是因为铺子是他们自己开的，或者是因为他们有很多的股子在里面，他自己却高高的占着一个位置；其实，在他下面的百十来个青年人，个个都是一步一步的在努力奋斗着，随便那一个做起他的那个位置来，都比他好得多了，适当得多了。如果他还有一点正当的感觉，他应该觉得太藐视自己了，太侮辱自己了，是很可耻的。而且，他还应该明白哩，如果他得来的那个位置，委实是属于一个工作了多年的人的，却是他去谋了来的，却是他靠着好意与隆情得来的，却不是由于他的功绩得来的，那么，他简直是等于一个贼盗哩。如果他知道他实在是不配很高乐地插着借来的野鸡毛，挺着胸膛，大摇大摆的，他对他自己的尊敬之心不是完全一点都没有了吗？

请你特别牢牢的记住罢，如果你觉得不耐烦了，如果你觉得不舒服了，如果你觉得你的进步实在太慢了，如果你觉得你的体力与智力委实都够做着你所希望着的那个位置了，如果你觉得那个位置到手以后你是能干出成绩来的，无论如何，你也应该循序渐进。你们的成功的步骤，应该像那运动会管理员对于运动员一样的严格，一定要把你的肌肉发达到那可以使你站在那里，可以保持得住你的平衡的地位才罢手。不是靠着你的努力得来的，不是靠着你的功绩的令名保持住的，大概都是没有一点什么真正的价值的。

一九　从低微的工作到特别的工作

许华勃先生（Charles M. Schwab）是宾夕法尼亚（Pennsylvania）的一个山里的赶轻马车的人，他后来竟做到了一个资本很雄厚，在实业界里也算得是一个最大的企业的唯一负责人，谁都承认他是很有魄力的，谁都佩服他有很好的办事策略，办事方法。

青年的朋友们如果要步许华勃先生的后尘，都应该记住：他得到一件事的时候，从来不去时时计较他的薪水的高低，他的唯一目的只是要把那现在得到的机会和那以前的比一比，是不是要大得多多。他在卡内基钢铁公司（Carnegie Steel Company）做短工的时候，他说道："如果我有机会，我将来一定有一天要做到这个公司的总办。我一定要叫我的东家知道，我是无时不在希望着升迁的。他给我的钱很少，我也不管，我只要努力做事，做得比钱多，——多到出乎意料之外。”他一面下了这么一个又有精神又很使人惊异的决心，一面是很乐观的、很正当的做事，并且很和气。大概没有一个人不觉得他一定要做到那么一个独一无二的大事业的负责人，这种理想，未免太使人诧异了罢？未必能成事实罢？

许华勃先生的出身是很苦的。他在学校里面不曾受过多少一点教育，他在十五岁的时候，便在宾夕法尼亚的克勒森（Cresson）城和一个山里的小镇市间靠着赶轻马车谋生了。两年之后，他得到了一种别的工作，每星期有两元五角的进入。他是时刻在注意着机会的，不久，新的机会果然又来了。一个工程师要招许多人替卡内基钢铁公司打木桩建筑钢铁工场，一天给工资一元。许华勃先生那时候有一个每天能赚一元的机会了，后来，他果然便得到了那个机会。又过了不久，他又做到了工程师；又不久，他竟做到了总工程师。二十五岁的时候，他又做了家宅营造工厂（Homestead Works）的经理。三十岁的时候，卡内基钢铁工场与家宅营造工厂都由他一人兼管。三十九岁的时候，他做到了全美钢铁公司（United States Steel Corporation）的总办。现在，他又做着伯利恒钢铁公司(Bethlehem Steel Company)的总理了。

许华勃先生得到了一个位置，和别的许多劳动者在一块儿工作的时候，他总相信，他不是一个平常的劳动者；他总觉得他实在是一个领袖。他从来不虚无漂渺的胡思乱想，认定法律是绝对的损害一个青年人的前途的，所以，一定要时常感觉着不满足，甚至，负着手到路旁去踯躅看，逡巡着，等待着转变，等待着国内的政治起一种极大的变革。他知道，只要有决心，只要努力工作，只要有不屈不挠的精神，他一定能够成为世上的一个中坚分子的。他的一生的故事，不仅是有点迷人魂魄，而且，要是拿来做榜样的话，真是再有益也没有的了。劳动是至高无上的美德，看了他所干的事业，真是一个最有力的明证。他做起他的工作来的时候，有一种乐观的态度，他觉得工作是美的，工作是愉快的；他无论做一件什么工作，一定要做到很好；他觉得做工作应该愈做愈好；所以有些工作要想做得好一点，一定要找到他。他干他的事业，从来不犯连跑带跳的毛病，所以他的进步都是到了应该进一步的时候才进一步，都是依理非进一步不可的时候才进一步。

常例，一个雇员，如果他做了一种非比平常的事情，如果他把别人不做而他觉得非做不可的一种事情做成了，他的升迁一定是很快的，有时候，有许多年份比他做得久，资格比他老的，也只好屈居在下，让他在上了。他做工作又不怕吃苦，又很敏捷，又与东家是很有利益的，处处又都看得出他的方法是很有知识的，很有思想的，很有见解的，很有创造的精神的，他的东家自然不能不注意他了，不能不觉得他的升迁是很值得的了。

做东家的对于他们的四周的情形并不像是一个看不见的瞎子，他们对于他们下面的人，时常是在注意着的。他们知道，谁是欢喜躲懒的，谁是时常要看钟点的，谁是要把东家的时间拿来东一点西一点的耗费的，谁是早上来得最迟的、夜晚回去得最早的；总而言之，雇员们的行为，对于工作的勤惰，他们都是很详细的知道的。

任何一个做东家的人都欢喜忠实可靠的人。他们并不要费多少时间，他们便会知道那几个是可以信托的，那几个是不可信托的。一个伙计躲懒不曾躲懒，误了事情不曾误了事情，他都明白；如果他是一个懒人，他自然而然的也会知道的。有许多人，虽然他们不是扯谎，也不是有意来欺骗我们，但他们无论是做一件什么事情都是那种脾气，我们自然而然的便会不信任他们了。在许多事情上面已经明明白白的告诉了我们了，他们是不可靠的。而且，有许多做东家的，对于他们的雇员的人品、性格，也是知道的，也是认识的。他知道那几个是只要有躲懒的机会便要躲懒的；他也知道有那几个觉得他是在注意着他，工作便做得非常起劲，只要差一眼睛，他们便要把时间拿来耗费了，糟蹋了，是绝对靠不住的。一个雇员，不问是在一种什么环境里面，他总从来不肯忽视他的工作，也不问他的东家在与不在，他总是忠于他的职守，这实在是难能可贵的。如果他要希望上进一定要先得到东家的信任，这一点是不能忽视的。决没有一个东家欢喜在他四面的人都是些不可信任的。他总希望着，无论他在与不在，工作最好是照常进行；而且，有时候，他还希望着他的副理当他不在的时候要分外的忠实。

一个进步很快的雇员是无时不在注意着怎么样可以增进他的东家的利益的，竭可能地帮助着他的东家的，想减轻他的东家的工作的，要努力实现他的东家的计划的。

所以，忠实服务，绝对可靠，顾全东家的利益，习劳耐苦，这几点，实在是升迁之钥。

如果你希望你能够升迁得快，如果你希望你能够早早出人头地，你千万不可养成一种习惯，什么事情都要等着别人来告诉你怎么做。最好是能把东家想着要做的事情预先做了。每天发生的问题，最好是用你的常识，用你的发明力，用你的创造力，把它解决了。专等着别人来指点你怎么做的人，没有一个是可以有很快的进步的。只有那些有神速的判断力的，有决心的，不需要人来叫他怎么做才做的人，才是世上的最有作为的人。

无论做一件什么事情，总要等待人来叫你做才做，总要人来指点你怎么做才怎么做，这种习惯养成以后，你的能力是很容易败坏的，你的个性也是最容易埋没的，你的思想、见解、发明力、创造力，也是很容易死去的。你做工的时候，不能有一种谬见，以为只要你看见在你上面的怎么做你便怎么做，看见在你上面的用的是什么方法你便也用什么方法，这个样子，便算尽了你的职责了。实际上，只有那些有思想、有见解、有发明力、有创造力的工作，才能博得注意。

睁开你的眼睛来看一看那些事情是应该做的，你不要等人来叫你做，你便做了罢。你也许会想着，假如你把事情不当着你的东家的面便很敏捷地做掉了，他会听不见说起的。这种谬见也快快放过一边去罢。做东家的也不知道有多少方法可以注意得着他的雇员们的工作习惯的。

一个青年人，不肯认真服务；又很取巧，再不肯拿出精神来做事；又时常要看钟点，生怕他要比他的薪水多做一点工作了；又因为不另外再给他一点薪水，所以他便不顾着他的东家的利益，也从来不肯提出一点改进的意见来；对于和他共同做事的人，又很冷淡，又很卑劣，时常还要告诉他们不要做一个愚人，不要去做那些经常的工作以外的这种那种的工作；——这种的青年人，不管他有多大的本领，不管他受过何等好的教育，他是永远不能上进的。

他太怀私了，这是他永不能升迁的障壁。有许多青年人觉得他们不能升迁得很快是很奇怪的，我想他们一定还要老大诧异哩，如果他们的东家告诉他们的原因只是为了怀私。认真服务，习劳耐苦，待人和气，对于竞争者从来不妒忌，这种的美德是做东家的最赞成的，有这种美德的人往往可以同那些有能力的人一样容易上进。

我们时常看得见一个能拿五千元一年的人却做着一个只有一千元进入的位置，我们觉得很诧异，再不知道是什么原故。我们又有的时候会看得见一个很有能力，又受过很好的教育的青年，无论从那一方面说，他都比经理高明，比在他之上的一切人都高明；不过，因为他有几种很坏的脾气，又有许多小弱点，又有许多短处，所以他不得不屈居下位。青年人往往不很明白，一根结实的铁链，却不是靠着那些很结实的环，却是靠着那些有毛病的环。我们不是要常常夸说我们的链上的环是很结实的吗？所以我们时常要看看链上的环到底结实不结实；只要我们看见一个有了毛病了，我们立刻便着急了；我们总不喜欢把这种缺憾置之不问的。一个不结实的环，一定是越过越不结实的，一定要断的。又有许多青年人再不能上进，完全是由于一件很小的事情，就是什么都不正确。他无论是做一件什么事，不能叫人相信他是不会错的。他的工作一定要叫别人替他复核一过。他是靠不住的。他做事往往只做到一半淘成。真不知道有多少管账先生，薪水又很小，位置又很低，因为他们算什么账都不正确；他们的数目字完全靠不住！因为这个原故，他们再也没有进银行里去做事的资格，再也没有进别的大公司里去做事的资格。他们的别的长处，也许很多，也许又还受过很好的教育，不过，这一点小小的短处，却使得他们不能得用了，他们的成功的机会竟因此毁了。他们不知道哩，他们做工是那么随随便便的，那么不精细，那么不关心，他们的性情也就变成那么随随便便的，那么不精细，那么不关心的样子了。他们又不知道哩，工作的习惯是能够决定他们的命运的，他们的心地都会给他们的那种做事从来只做到一半淘成的恶习惯毁坏了的。

那些拖着鞋跟的工人，什么人都不会信任他们；他们都是靠不住的。身体精神都拙劣粗笨的人，他们做出来的工作自然也是拙劣粗笨的。人们觉得我们都是些拙劣粗笨的人了；因为他们看见我们做的工作实在是很拙劣粗笨的。爱略脱（George Eliot）的《三月中旬》，描写的是芬奇先生（Vincy）的事业失败的经过。他的丝织物是很有名的，因为他的妻舅介绍了一种价钱很便宜的染料给他，从此以后，他的丝织物，很容易坏，很容易腐烂，所以便一败涂地了。像比德（Adam Bede）那种人，做事异常诚实，毫不苟且，最值得给他很高的薪水，因为他真是一个利人利己的人。

一个要把工作做得不朽，做得可以传之久远的人，他一定是好求完备的。帕德嫩（Parchenon）的雅典建筑师建筑一座盖世无双的大壁的时候，上壁下壁是一样一丝不苟的，因为女神密娜华（Minerva）看得见下壁，也看得见上壁。一个老雕刻师觉得未免过分了，他觉得里壁是不很惹人注意的，不容易看见的，何必多费功夫去精雕精刻，“但是，神是看得见的”。

古代多艺人，
工作唯精致；
一处不含糊，
举头有上帝。

那些拖着鞋跟的男男女女做出来的工作一定是像那拖着鞋跟的不三不四的样子一样的。无论做一件什么事情，除非你力求完备，否则你只有退化，只有落伍。做事只做到一半淘成便算了的人，没有人信任他了。银行里再也不要他的字据。也没有人愿意把财产交给他保管。他也做不了主任，做不了保证人，做不了重要的董事或是委员。事实上，他走到那里，都不受欢迎。

来把一个拖着鞋跟的不爱整洁的女人当家的家庭看一看罢，她做事从来是只做到一半淘成的地步便算了的，你且看一看那种传染病蔓延开来，使得家庭里的小孩子成为一种什么样子罢。什么地方，你一眼看去，无非是懒惰的样子，只做了一半淘成的样子，乱七八糟的样子，毫无秩序的样子，老大不舒服的样子。在这种家庭里的小孩子，他们染上了这种传染病，还要不了！他们的工作，他们的性情，他们的成功，他们的快乐，都给这种遗传的污点硬生生的断送了。

那种做事只做一半淘成的恶习惯，那种做起事来老是拖着鞋跟，意兴阑珊的样子，最败坏人们的品格。脑里只会有下流的思想了，心术也一定会渐渐的变坏了。

如果你去把那些犯罪的、被人糟蹋的、大队的失业者、走上了邪路的人们的品格仔细一考察、一分析，有许多一定都是些做事只做一半淘成的人。一个担任着一件工作的人，如果他努力做去，他一定不会失业的，除非他的品格的确有很大的短处与缺点。这是一件事实，失业的人真有千千万万，但是，何以我们国里的大商店、大工厂，又都在一到处找寻好的雇员、好的书记、好的账房、好的打字员、好的会做事的人呢？

一个做东家的要想提高一个书记的地位，他当然要找一个工作做得最完备，令人最满意的人。这是一种最普通的适宜不适宜的试验。任何一个东家总不喜欢那些拖着鞋跟的懒人的，也不喜欢那些做起事来老是拖泥带水似的人的。他所喜欢的一定是那些又有秩序，又整齐，又很刻苦自励的雇员。

如果我们去问一问我们国内的雇主，许多青年人的最大的不能上进的原因究竟在什么地方，我相信他们多数的回答一定是："他们有一种习惯，做起事来只做到一半淘成便算了。"

现在这个时代实在是一个拖着鞋跟似的懒懒散散的

时代。“真做得不成东西！”“只做了一半淘成！”“做得真不精细！”现代的生活都该批上这么一句话。房子还不曾造成，哗喇，倒了。衣服还不曾穿破，合缝的线断了，衣服破了，不能穿了。为什么？因为都只做了一半淘成。无论是那一种商品，无论是那一种职业生活，你一眼看去，都是这种拖着鞋跟、大拆烂污的样子！

一个对于什么事情都是大摸约知道一点的人，对于斤两的轻重，路程的远近，老喜欢想，老喜欢猜，老喜欢估，有时候也会给他想得有点差不多，猜得也有点对，估得也有点不错，但是，他在世上决不能够成为一个有多大能为的人。只有那些事事求正确的人，又刻苦自励的人，又一丝不苟的人，才能得到很大的成功。一个少年人，对于他的功课，读到有一半懂得便算了，考试的时候，鬼混一下子便完了，他的脾气是有点随随便便的样子，他做起事来从来没有规律，没有秩序，做什么事情都不用心，这种人的一生一定是只有失败的。少年时期养成的恶习惯，成人时期是再也改不了的。你会看得见他时常都在东找东西，西寻东西，因为他从来不知道他的东西实在是放在什么地方。他有的时候连自己是站在一个什么地方也不知道。他对于他所读的书，已经懂得不曾懂得，他自己也莫名其妙。他到银行里去的很迟；他开出来的账照例是错得一塌糊涂，叫人不能相信；他的一生，索性便那样东错西错，草率的很，粗忽的很的过了。这种人，不但要失败，不但害自己不浅，而且还要大大的负累别人。他的雇员们一个个都是那种糊糊涂涂的，随随便便的样子，久而久之，自然都觉得一定要把什么事情做到那很正确的地步委实是没有多大的道理的了，因为他们的雇主本身做起事情来便是漫不经心的样子。结果，他们都是些很不小心谨慎的人了，都是些什么也弄不正确的人了，都是些非常疏忽的人了。他们的铺子里，到处都渗透了这种的弱点、这种的短处，结果，他们的营业自然一落千丈了，自然一败涂地了。这时候，他还那里找得出他的失败的真正的根源来，大加责备一番呢，只好长吁一回，短叹一回，说上一两句运气实在太坏便完事了。

我很希望着青年的男女们牢牢的记住很重要的一点，就是，无论做一件什么事情，一定要做成功；便是一件很小的事情，也一定要用精神脑力。从小便养成这种良好的习惯的人，他才能够常常觉得是很知足的样子，很满意的样子，心境很泰然自若的样子。这种的愉快的心境，只有那做事力求完备的人才能得到。世界上再没有一种别的什么酬报比得上这种把事情做到了很好的地步，做到了很完备的地步的这种的酬报来得大了。那些欢喜把什么事情都做到了一半淘成的地步便丢了手的青年男女们，他们再也不知道他们那种草率从事的结果一定是只有“不但糟蹋了他们的工作，而且糟蹋了他们的生活”的！

如果我能够对着一般到社会上去奋斗的男女青年们奉劝一言，我应该说，“努力养成你的爱美心”这一服提神的药真是很神妙的，它能扩拓你的心胸，高尚你的品格。爱美心很强，无论他是负责做一件什么事情，他一定要做得很完备的地步；真的，实在没有一种别的美德比得上这个更能高尚你的品格，增进你的才能的了。把一件事情做得勉强可以说好的地步还是不够的；一定要把事情做得好了还要好的地步。“呵，这个样子已经算得很好了！”有许多人的生活基础上的基石上面还不曾可以安然的加上这么一句话的时候，房子却已经哗喇，倒下来了。年轻的时候便养成一种做事不求完备的习惯，真好比是得到了一个大失败的秘诀了。养成一种好了还要好的倾向，心里时刻又都在记着一定要精益求精，这是一服可以使你把什么事情，做得好了，还要做得更好的好药，这是一个唯一的激进你的爱美心的方法。

把事情做得很好的人，他自己是很满意的。到了夜里，把日里所做的事情想一想，一点不曾做错，而且，要那样做成功的方法也是很对的，这是一服很补人的补药。什么事情都要做得很完全，很完备，很好，你的品格和你的体力都会受到很好的影响的，你的能力也分外能够得到正常的展拓的，有了这种的知识的人，他实在配做更好更高的工作。举步进入社会来奋斗的青年朋友们，我来请你们记住一个座右铭，“力求完备”，你早早抱住这个主张罢，这是你的成败所系的一句名言。

施特剌福洛斯（Stradivarius）成年累月的制造他的怀娥琳，人们都笑他。他们都觉得他的光阴实在是白白的糟蹋了。但是，现在，只要你访求得到一只“施特剌福洛斯”的怀娥琳，不要一万元，也要五千元，有时候还非把斤两称好，拿几倍重的金子和他交换，你再也不能到手。无论是那一件永生不朽的东西，没有不是辛辛苦苦的产生的，没有不是十分慎重地产生的。

做事情一定要做得好，做得完备，还不仅是一个上进的最快的方法，它与你的品格，与你的自尊心，还有莫大的影响。如果除了尊重自己，尊敬自己以外，别无其他的更重要的动机了，我们实在不应该养成做事只做一半淘成的地步便算了的恶习惯的。世界上最需要你的是你的最好的工作，你应该早下决心，早养成能把工作做得很好的能力。无论是做一件什么事情，你应该用你的最好的思想、最好的工作精神、最多的精力去干。下一个很大的决心罢，不问别人怎么样，你再不要把一件什么事情只做到一半淘成便丢手。你的生活的意义是很大的，不可让这种恶习惯把你毁坏，也不可让你的拙钝的工作把你的生活弄得很糟。

二〇　懦夫

青年人都有一点宏壮的气概，他们没有什么惧怕，他们很大胆，他们很勇敢，他们相信他们的能力是能够干一切事的，他们敢作敢为。自己觉得自己是一个很有价值的人，他是真能立足的。自己能够相信自己的人，别人也会相信他。懦夫便谈不到这一层。懦夫对于他们自己都觉得丝毫没有把握的，他们连自己的判断也有点不信，他们只看别人怎么说，他们从来不敢断然的拿出一个自己的主见来，向前干去。

那些有积极的主张的人，那些自己绝对相信自己无论是在一种什么紧急关头都和平时一样的人，他们总觉得，只要他们试一试，事无不成，所以，他们的朋友们也都信任他们。为什么呢？人们都知道他们是很勇敢的，他们都是些足乎己而无待于外的人。

世界上的干过一番大事的人，没有一个不是很大胆的、能冒险的、肯刻苦奋斗的、很自信的。他们都敢从人丛中大踏步走将出去，开端创始。他们再不怕做领袖。

在现在这种竞争异常剧烈的时代，拥挤排斥得不堪设想的时代，一个翻覆不定、毫无决断的庸懦的青年，实在没有立足之地。在现代，如果他要希望成功，不但要勇敢，还要能够大着胆子乘住机会。那些没有一点把握，静待机会的人，永不能得到他们的胜利。

一个青年人，如果他是一个懦夫，如果他对于自己也不能相信，如果他自己也没有一种什么坚强的信仰，如果他一点什么把握也没有，又从来不敢冒险，他是绝对不能有成功之望的。

这是很自然的，世人最相信的是那些自己绝对相信自己的人，是那些相信自身能把什么事情做得成功的人。最能够得到人们的信任的，自然只有那些自己相信自己便是在紧急的关头也能和平时一样的人。

爱默生说："自然对于任何一个个人，都赋予了他一种能成事功的能力，不是你有，他也有，他能，你也能的。"现代的生活，大势看来，有那种无大不大的组合，把人们的兴趣与精力都集中了，它的倾向是要消灭人们的个性的；但是，任何一个个人都有他的绝大的义务，他实在应该尽量发展他的个性，不能随他埋没。他怎么可以让他的教育，他的职业，他的环境，把他的特殊的人格剥夺干净？他也总不能把老天赋予他的异于常人之点一概抹杀罢？个性与人格是他的最重要的部分，保全人格，保持个性，不是他的很重要的任务吗？

我们感觉着有一点是很困难的，有时候，我们往往甘心做一个应声虫，往往甘心做一个别人的微小的副本，专学人的样子。可是，事实上，实在没有两个天生同样的人，你是不能做他的那个位置的，你也是不能把他做来又很容易又很快的事情拿来一样的又很容易又很快地做成功的。自然希望我们要这个样子，我们一定要铸成别的一种模型，这个是无用的，而且有时还要祸生不测。宁可做一个根本不错的鞋匠，不要妄想去当那什么议员了，也不要妄想去当上一个什么首屈一指的大律师了。不拘你怎么样，不拘你是做什么的，依旧做什么好了，——拿出你的气力来、思想来、才干来、创造力来向前干去好了。你总不要消极的做一个别人的副本，别人的摹本，别人的拓本。

一个做事的人，他要把事情做出一点成绩来，他相信他的内在的力量也一定是可以得到成功的，他立志要成为世上的一个知名之士，他从来不要去看一看众人究竟是怎么样的。他也从来不要去同他的认识的朋友们商量来商量去的，他也并不要期待着什么可以遵从着的先例。他拿出来的是他自己的计划，表现出来的是他自己的思想，他的精力要向那一方面去努力也是他自己决定的，总而言之，什么都是他自作主张，不靠别人。他看见前面有什么障碍了，他从来不诉苦；他只要遇见障碍的时候，他一定要把他解决掉，排除掉，决不逃避。他从来不怨苦，也从不哀鸣；他是一个好男子、大丈夫，他无时不在勇猛精进地干他的事业的。无论是一件什么事情，只要是他担任的，他一定要下决心使它得到胜利。从人丛中走将出去，特立独行，必须有一点大雄无畏的精神——要像纵身入水，要便是游泳自如，要便是沉溺而死。

做一个好男子罢，做一个大丈夫罢，人是生来要怎么样便怎么样的，这是上帝赐予你的生来便有的特权。

成功是人们的最不可少的要素，正如水是鱼的养命之源。他不应该在疑惑的空气里面生活着，他也不应该终其身都陷在一种恐怖的状态里面，他也不应该让那莫衷一是的态度无时不在他的脑际盘缠。

仰人鼻息的生活，不能自立的生活，寄人篱下的生活，是奴隶的生活、奴才的生活，不是好男子、大丈夫的正常态度。一个好男子、大丈夫，他的毛孔里散发出来的都是气力；一眼看去，他是一个满身都是魄力的人；他不用一拳一脚，他便能得到他的很大的胜利；他的眼睛以及他的有能耐的气度，处处都是明证；他的心窝儿里已经征服了一切的一切了。

让我们来做一个环境的主人，时势的英雄，不要去做一个环境的奴隶，时势的奴才。让我们来和成功与快乐的敌人——贫穷，衰颓，疾病的思想——作战。有一种思想，说人是环境的牺牲者，人是地下的苦恼的可怜虫，他的成功与快乐都是偶然碰到的。这种的思想是要不得的。这种的思想最败坏人们的心术，最戕贼人们的身体，最损害人们的尊荣的人格之修养。

只有那些干事有步骤的人，有职责的人，心里不知道究竟是一种什么力量在催逼着他急速地要实现一种使命的人，只有这种人，世界上自有天地供他驰驱，任他自由来去的。

要奋勇地断定你的能力是可以把你所担任着的事情做成功的。一句断语可以使你分外的有力。

要崇高你的品格，要增强你的精神，第一要择定那一件事情是你所最愿意做的；第二要奋勇地补足你的缺点。如果你觉得你没有勇气，没有忍耐心，没有刚毅之气，没有决心，你应该努力学习，你应该想着，这种美德，原来是你生来便赋予了你的特权。你应该深信不疑，你是有这种美德的，你是非有这种美德不可的，于是你真的便有了这种美德了。这种美德是能增加你不少的力量的，你会得到出乎意料之外的成就。

格兰特（Grant）是有这种积极的美德的人，他无论担任一件什么事情，他绝对相信他能够成功。他从来没有一点消极的态度。他遇见很大的危机的时候，他从来不站在中间，横思竖想，怕要失败的；他也从来不迟疑，他始终是很积极的，敢于断言成功是一个必然的结果。

能像林肯、华盛顿、格兰特那样有积极的精神的人，他们一定有所成就。有积极的精神的人，又有领袖资格的人，到处需要。他不知道什么叫做怕惧，他很勇敢，他有自觉力，他有坚强的信心。

在危急存亡的时候，你不要退缩，不要气馁，退缩与气馁会惹出失败来的。奋勇地下一句断语罢，你做的事，一定是能够成功的。如果你对于你的能力起了一点怀疑的念头，这时候便是你约款投降你的敌人的时候了。

你如果时时承认你是懦弱的，你是有缺憾的，你是没有能力的，或者时时又有一种游疑不定的态度，这是最有害于你的自信心的；换一句话说，便是最有损于你的根本，最有害于你的成功的。

二一　自信

那一些负责干事的人一定能够成功呢？那些定下目标来，一言断定，他们绝对相信他们的能力是能够达到他们的目标的。要负责办着的事成功，第一要保持得住自己的能成事功，高尚无匹，绝对完全的自信心，自信自身无论是干一件什么事情，他的力量是一定可以告成的。

成千成万的人，偶然受到一点挫折，他们便心灰意懒了，他们便跌倒爬不起来了。他们说，运气实在坏极了，命运是专和他们作对的，再要试一试，也是无所用之的了。

请你注意罢，有许多有财产的人，他的财产突然败了，但是他依旧有勇气，依旧有决心，依旧能立足，比起他有财产的时候来，还要起劲；真的，什么人都是不应该让他的勇气一蹶不振的，什么人都是不应该老大的灰心的。一个丝毫没有了把握的人，照例，他的向上之心也会没有了的，他只能做一个东飘西荡、随波逐流的人了。一条死鱼只好在水面上飘着，浮着；要是一条活鱼，他是能在急湍的滩头活泼泼地迎流而上的。

如果我们来把世界上的失败的事情的原因找出来分析一番，我们一定会感觉到，由于财产的损失的失败的比较的少，由于失掉了自信心的，颠倒要居多数。

除掉品格，再没有第二种更大的损失比得上失掉了自信心了；自信心完全消失的时候，实在是什么事都做不成功的了。一个没有背脊骨的人，他是站不挺直的。

一个有坚忍心的人，一个有决心的人，他是不会跌倒爬不起来的。把他关进监牢，班睨（Bunyan）能够利用那纸卷起来的牛奶瓶塞写出他的《天路历程》（*Pilgrim's Progress*）来的。把他的眼睛挖掉，密尔顿（Milton）还是能够写成他的《失乐园》（*Paradise Lost*）的。帕克曼（Parkman）能著成他的《加利福尼亚与俄勒岗的猎踪》（*California and Oregon Trail*）。英国的福塞特（Fawsett）能做到邮政总局局长。像这种的例子，真是举不胜举。他们都是些从不惊惶失措的能成事功的人。精力是不受拘束的，不受限制的，比不得蒸汽是可以用一个瓶子便把它装得起来的。有那自信心的人，他能遵从着他自己的愿望。

人生有如戏剧，你要怎么演，你会演成什么样子，要看你的品格。你如果要做一个成功者，你的态度必定要是一个有力的样子，你的外貌也必定要是一个成功的样子。

一个善于观察人的人，他能够在路上看他走路的情形，指出他是一个成功者。要是他是一个领袖，他的步法，他的一举一动，都可以表现出来的；他的气度可以使你知道，他是一个可以自己作得主的人，他是一个绝对相信他的能力可以干事的人，也绝对能够把要干的事干出成绩来的人。他是很有自信心的，这是他可以成功的明证。

反之，一个失败的人也是指得出来的。他走起路来好像是没有一点决断的样子，他的不知道是向东好还是向西好的步法，证明他是一个一点自信心也没有的人；他的衣服，他的气度，处处使你看得出他是一个没有一点才干的人。他的庸懦无能的气质已经在他的身体的动作上活画出来了。

一个成功的人，从来不是唯唯否否的，从来不是游疑不决的。他的背脊骨上好像也充满了积极的精神。他用不着什么来把他支撑着，他是能够独立的。赫邱利（Hercules）只要举眼把你一看，他便胜利了，他便征服了你了。

他开口的时候少，不开口的时候多：他的缄默是很有力的。你会觉得，他所说的，他所做的，是有含蓄的，是有余不尽的。

换一方面，看看那种一事无成的人罢，他们是没有自信心的，他们是没有含蓄的，没有那种有余不尽的意味的。他给你的印象无非是推车挤壁的样子，他说出来的话好像是他的最后的一句话了，他拿出来的气力好像也是他的最后的一点气力了。

这是很奇怪的，自信力的力量，可以指挥引领着你所有的才能和你所有的气力打成一片。不问是那一个有才能的人，如果他没有自信心，他是不能够拿他的才能来乘住机会的；他也一定不能够把他的行动和气力，和谐一致的联合起来，拿来对付某一关头，对付得出一点很好的效果来的。

要成功，自然要有才干，却也要有自信心。如果没有自信心，第一好的办法就是你要觉得你是一个很有自信心的人。你的态度应该是一种很有自信心的样子；如果能够那样，不但别人渐渐的相信你是一个有能力的，连你自己也渐渐的会相信你自己的确是一个可以相信得过的人了。

买客不上门来了，货架上的货色卖不出去，斤两太重，把架子都要压坏了，伙计们懒洋洋的团团的站在一块儿，收房租的又来了，讨账的账条又像雪片也似飞来了；一个商人的灵魂的锻炼的时候到了，这是他的脾气和他的做生意的本领，要大大的试验一试验的时候了。这时候，我们可以来看一看他到底是一个何如人了，到底是一个什么性质的人了。如果他看见一点不常见的小事情，他便觉得难受起来，他便觉得不高兴，他便要发怒；如果他对于任何一个人，任何一件事，也拿出他在困难的时候责备他的伙计的那种言语与行为来，我们便知道了，有一课最重要的功课，他是不曾学过的——

激忿的时候，拿出一点自制的力量来。

营业发达，什么事情都还顺手，真像日暖风和似的，要高兴，要欢喜，这是容易的；但是，遇着不景气的时候，生意不好，欠人的账一天多一天，收进来的又不够付出去，你眼睛里看起来，都是困难，都是危险，简直是有点不能维持的样子，这时候，你却应该拿出一点勇气来，拿出一点活泼泼的有生气的样子来，高高兴兴的，对人还应该笑容满面。如果你的生意真有点叫你捉摸不定了，好像狂澜既倒，你再也挽救不回来了，你辛苦了多年的一点商业上的财政的根基都给摧毁了，你便是在家庭里面，你还应该拿出你的哲学来，打起你的精神来，心平气和的，高高兴兴的，欢欢喜喜的。

这真是很要紧的，一个生意人，最好要有一点镇静的态度，最好要有一点心安自得的样子。一张笑容满面的脸，一种很有希望的样子，一种很有自信心的态度，又有一点可以应付任何一个商人都会时时遇到的狂潮汹涌般的商业上的危机的决心，既不暴躁，又不恼怒，也不怀疑，往往却是能够避免他所日夕焦心的毁灭的。伙计们很容易探得出东家的焦躁的心情来的，怀疑的心境来的，畏惧的心理来的。如果他现出心惊胆丧的样子，他的那种神气一会儿便会传染到那些替他做工的人们身上去了。便是顾客，他们也是看不惯一个铺子里面的那种愁眉绉脸的情形的，他们也会掉转头来向着别的地方去了的。不景气的时候，市面上恐慌极了，成千成万的店家接二连三的倒了，这些店家的店主实在都是些没有一点自制的能力的，他们对于事情的怀疑的态度以及畏惧的念头，从来不肯严守秘密。心惊胆丧实在是雄心的一套很大的催命符。这种毛病，最好要把它当做瘟疫般一样的防止、扫除、消灭。

我从来不曾见过一个嘴上挂着生意真正不好的人是一个成功者。无论是一件什么事情，你千万不要专从黑暗方面去想。你千万不要叫着市面坏极了，也不要谈什么年头实在大不对了。有许多商人已经习久成性，他们都是些无病呻吟的人了，都是些吹毛求疵的人了。无论什么时候，他们看来，总是困难，总是不景气。有许多已经陷进悲观的覆辙，他们再也看不见一点曙光，再也不能成就一事了。这种人是永远不能顺利兴旺的了。成功是一根嫩草，最需要的是奖励与阳光。

你应该一手推开围绕着你的恶劣的祸害。学习学习做一个一手转移环境与风气的人，学习学习做一个铲除恶劣的势力的人。对于什么事情，都应该看看它的光明方面，不要专看那黑暗方面以及那愁眉苦脸、令人丧气的方面。

世人欢喜的是那些有希望，有生气，像那和煦的太阳光似的人；世人只要看见一个觉得这里也是不幸，那里也是失败的忧戚的预言家，只有敬而远之。满怀希望的高高兴兴的青年男女，干着他们的事业，他们总觉得是长寿的、永生的。快快离开那些垂头丧气，愁容满面的人罢，要像从那云雾里，阴凉的地方，逃到阳光里去一样。

一个要胜利的人，他的一言一语，一举一动，都是有坚信的样子，他是一点都不怀疑的，他自信是一个征服一切者。人们最赞美的是一个有自信心的人。他们可以相信他，可以信任他。他们最痛恨的是那些疑心病很重的人，是那些三心两意的人。只有那些在各方面都适得其平的人是能够胜利的，决不是那些连自己也不相信自己如果有了机会，是不是果真能够得到胜利的那些朋友。真的，只有那些有坚强的意志，能奋斗的人，才能够产生热忱，才能够由热忱产生得出他们的自信心来的。

在生活斗争的战场上得到了胜利的人，他是有自信心的样子的，他给予你的印象是卓越不群的。他满身都是气力，你一看便会知道他是一个有魄力的人。至于那些被打倒的，战场上的失败者，他们便不同了，他们是多疑的，没有自信心的；他们连走一步路也没有坚信的样子，他们的态度、容貌、举止，根本便没有一点什么能奋斗、能挣扎的精神。

有多少一点源头，一个喷水泉只能喷得多么一点高；任何一个人，如果不信他果真能够做到一个什么程度，他是再不能够做到一个什么程度的。

如果你已经找得了你的正常的工作的园地了，如果你知道你所有的力量，所有的才能，都肯拿出来干这一个工作了，你不要再让别的事情来动摇你的心，分散你的心，毁坏你的择定了的工作了。不问事情是怎么样的困难，不问工作是怎么样的比你预想的难做到什么地步，你不要动摇，不要退缩，不要回头。是你自己择定的，再不要改变宗旨。记住罢，无论是一件什么工作，有时候，刺是比玫瑰花多的。这正是一个试一试你是一个什么样的人的季候，这正是一个证明你的意志坚强或是薄弱的季候。不管是怎么样的黑暗，怎么样的叫你灰心，不要想着失败是可能的。面孔向着你的目标，奋勇地下一句断语，你有的是自信心，你的力量是可以成功的。这是一定能够提起你的精神来到达成功的境地的，也是一定能够保持得住你的成功的地位的。如果靠着你自己的力量，靠着你自己的才能，不依赖别人，把你担任着的事情完全干成了，这便是意志坚强的一个很大的明证。

再不要让什么人什么事来破坏你的自信心。再不要让你的思想里杂有一点不免要失败的念头。要时时刻刻的下一句断语，时时刻刻的抱着一种一定成功的态度，不要消极，你的意志会分外的坚强的，你的不可动摇的主张，目的，会分外的坚定，经得住外来的打击与诱惑的，胜利也自然是一个必然的结果。

有许多人失败了，因为他们的自信心动摇了；他们对于那些多疑的人，有畏惧的心理的人，耳濡目染的，他们的心里也便跟着怀疑起来了，畏惧起来了，莫衷一是了，竟把靠他成就一切事功的一点自信的力量也弄得完全消失了。

不管你是怎么样的穷困，不管你的境遇是怎么样的苦恼，自信心是可以增加你的力量的。不要以为灾难与贫困是可以把你压下头来的，不要以为境遇是可以征服你的，你应该坚决的相信，你是可以转移环境的，你是环境的主人，不是环境的奴隶，你的境遇是可以渐渐的向着那好的方面进步的。有这种有主见的思想，有这种假设的力量，你再下一句断语，你有满身能成事功的精力，这是一种任何人把你夺不去的生来便有的特权，你的性情也会变得很有力的样子了，并且可以使你把那被怀疑与害怕败坏掉的自信心，以及一切失去了的干才，会从新奇异地恢复原状的。

有许多人失掉了自信心了，又没有了决心了，全靠他们有一种一定能够成功的信仰，终于把他的事情干成了。任何人都应该爱惜他的无价之宝似的生来便有的特权，如同爱惜他的荣誉一样。

二二　生来是征服一切的

有些人好像是生来征服一切者。他们无论在那里，好像一切情形是由他们主宰着的，是由他们命令着的。这种天生的胜利者都有很大的自信心；他们知道，他们是能够征服一切困难的人，他们好像胜利是他们的与生俱来的特权。他们在生活奋斗的过程中，好像并不当作一回什么事，好像环境原来是可以由他们操纵的；他们好像都知道，万有的力量是很伟大的，他们原来就是那种力量里的一分子。他们干起工作来的时候，好像是起重机上的一根大链条，有什么大不了的工作，在他们看来真是再容易处置也没有的。

这种人都很乐观；他们从来不怀疑，从来不游移；他们从来不急着明天的事情；他们从来不烦恼，也从来不过分的焦躁；他们觉得只要是他们负责的事情，他们是能够做的，而且也是能够做得很好的。他们是世界上干大事业的人；这种巨人，他们从来不左边看看，右边瞧瞧；他们遇见困难，从不逃避，一定要把困难解决掉，他们的才力是足以应付一切危难的。

这种性质的人，他们相信他们有很大的本身力，也有能办事的才干，他们觉得胜利总是属于他们的；他们又很相信他们有勇气，有精力，他们是不易失败的。他们只要时刻记住，无论是一件什么事情，只要是他们做的，一定要做得不错。

怕失败，对于自己的能力又没有一点自信心，这是失败的权威的原因。希望在世界上干一番事业的人，一定要下一个决心，不问怎么样，他是一定能够成功的。他应该有一种坚强的信念，他是为成功而生的，成功是他与生俱来的特权。这种特权，无论是在那一种联合起来的逆意的环境里面，终不能把他剥夺干净。

世界上的一个最大的美术家，画不成马利亚的一个面部，如果他的心里有一点邪念。你也再不能得到爱情，如果你的态度有一点怀恨的意思，有一点妒忌的意思；至于时刻现出怀疑的情形来，这也是一个不成功的原故。

如果当教员的与做父母的都觉得叫小孩子要有一个良好的印象，要起头便叫他们相信自己有成功的力量，是一件可能的事情，我们的文化真个可以说是起了一次大革命了。如果你是一个教员，最好让你的学生有一个一定成功的良好的印象。让他知道，他是一颗能成功的橡实，造物主希望他能够长成一棵大栎树，——不是一棵多节的，也不是一棵矮小的，乃是一棵在林中算得上是一棵最大的无大不大的大栎树，可以给人们和野兽遮阴，可以拿来用作造船造屋的材料。使小孩子知道你是相信他的；告诉他，你希望他将来能够做一番大事业，不要使你老大失望。

著者能有相当的成功，全靠他在专门学校里的时候，得到了他的教员一些鼓励他的话，到现在还是很能使他感发兴起的。哥德斯密斯（Goldsmith）也是一个很得力于教员的人；因为，大家对于他都很失望，觉得他什么功课都是做不好的，觉得他真是一个“呆子”，只有他的教员，在行动与言语上，还是时时鼓励他。为了他的教员很信任他，所以他后来竟成了一个名满天下的大诗人。我们国里有千千万万的成功者，他们的成功，完全是靠着他们的父母，他们的教员，他们的朋友，鼓励他们，既给了他们一点神来之力，又相信他们是有成功的能力的。气馁的时候，生了退悔之心了，他们真预备要洗手不干了，但想到了那些期望着他们的人，那些相信他们的人，那些说他们一定能够成功的人一定非常失望，他们又重新振作起来，放手干去了。

我们简直不很明白，时时鼓励他们，时时输入一点健全的思想给他们，时时相信他们，时时鼓舞他们乘住每一个机会，真是对于朋友们的一种最大的帮助。

最大的帮助决不是金钱，也决不是什么物质上的帮助。亲密的握手，欢乐的言辞，乐观的思想，同情的表示，感动的鼓励，这种种，不但是能够帮助朋友的，而且，也能予自身以很大的助力。授者比受者的所得，往往更多。

普通计算起来，任何一个人，他的身体，他的才能，要到二十八岁的时候，才能发达完全，才能说是到了精壮时期。

万有的造物主要费一世纪的四分之一稍多的时间才

能做成他的工作，他的计划，他的目的，多么有力，多么伟大！这是应该细味体会的。

人类这副机器，处处能够证明是有很长的生命的，也是为了成就奇迹而来的，这并不是一种雄辩。这真是一副包罗万象的很复杂的机器，任何一个部分，都有那为了成功而生的毫无疑义的理由。人体的组织真是一种奇迹，无一部分没有它的适当的用处。

失败，像疾病一样，是不规则的。如果你费许多年的时间，只是抱着一种败北的思想，只是埋怨自己的运气太坏，再不肯像别人一样努力希望成功，真的，实在没有别的事情会像这个这样更能使你感觉着抑郁无聊了。

成功便不然，实在是一服使你健康的大补药。有许多人，年年都是身体很不好的样子，他忽然出乎意外地要把某一件事一定要干成功了，他的身体忽然大大的康健了。心理作用对于身体起了很大的反应，他不复是那种抑郁无聊，毫无精神的样子了，他一变而为一个生气勃勃的，身体很康健的人了。抱定一种一定成功的思想，你的外表会登时变成很有神气的样子，什么疑心病鬼，什么害怕鬼，都会逃到不知道那里去了，你的希望，你的气力，会像电流似的，你的满身的能力会起一次大革命，使你一变而为一个有了新生命的人了。

人不能不活动正如音乐不能不和谐。把人解剖一番，委实是为了成功而生的。每一根神经，每一根筋脉，每一个细胞，每一件机能，每一种能力，没有一样不是有很高的效能的，没有一样不是有很大的用处的，没有一样不是可以使你到达成功的目标的。造物主把人造成一架成功的机器，有时也免不了有不规则的失败，但那是和音乐一般，有时也一样有声音不和的时候。

上帝从来不造一个专门失败的人。我们的身体的组织，是成功的组织；我们的音调，是成功的音调；我们的成功，早在安排与计划之中。

造物主也从来不造一个人，一定要叫他生活于贫穷的状态里面，生活于苦恼的境遇里面；有种种的暗示，种种的证据，都可以证明人是为了快乐而生的。在他的生理上，在他的心理上，在他的环境里，有千千万万的理由都可以证明人是为了快乐而生的。幸福、富裕、丰足，这是人类的遗产。

在这种有机会的大地上，一个身体很好的人，生活于下流的贫穷状态里面，真是一种莫大的耻辱。这是最败坏人品的，这也是文化上的耻辱。造物主所造的人，他是不知道有失败与贫穷这两种什么恶病的。

二三　注意最重要的一点

直捷爽快是一个成功者的一种基本的办事能力。他无论是对于一件什么事情，不会看一眼便算了，也不会站在旁边的，他一定要迎上去，彻头彻尾的弄个清楚明白的。他如果是为了生意上的事情来看你，他不用十五分钟便会把他的主题解说得清楚明白了；他从来也不会说上许多没关重要的话来糟蹋你的时间的，他总是一心记着他要接洽的是一件什么事情，把那最关重要的一点接洽成功的时候，他的事情已经完了，他便止住了。

如果一个成功的商人，或是一个职业劳动者，觉得有些事业是很讨厌的、可恶的，一定是对于有些人，时常要想尽种种方法闯进办事间来，却并没有什么大不了的事情，只不过是为了东说西说的来乱说上一阵而已。他先问问你的身体好不好，再问问你家里的人平安不平安，已经够把听的人闹得实在有点不耐烦了，他却还不曾把他跑来究竟是为了一件什么事情明明白白的公布出来。

有许多人委实有一种很有价值的意见，有一点很重要的意见，但是，资本家连听也不要听了，因为他们实在把他麻烦够了；或者是因为他们那种一点也不直捷爽快的态度，已经十足表现他们是些毫无用处的人了，对于他们的印象已经是很不好的了。

凡是很有办事能力的人都有一种直捷爽快的特性，因为他们对于时间是很珍贵的，他们从来舍不得拿来耗费在那些毫无益处，毫无意义的闲谈上面去的；这实在是任何一个干事业的领袖人物，任何一个商店或是工厂的经理，一种必具的能力。

有许多人失败了，因为他们弄来弄去，始终不能很快地求出一个很有效果的结论来。他正在恍惚不定的踟蹰着的时候，正在做着那三思而后行的功夫的时候，正在打算来一个什么旁敲侧击的办法的时候，挽救他的大好机会却已经失掉了，危机毁了他了。

这种一点不直捷爽快的毛病真断送了不少的有前途

的律师。美国的最高法院里的法官说是第一件困难的事情就是有时候非有争论不可。有许多青年律师上了最高法院的法庭，觉得太重要了，制不住把总论扯得很长，拖拖沓沓的，说上许多自以为是证据的证据，不但把堂上的法官闹得疲倦了，连他们自己的原因又还保不住要说出一点漏洞来。这里又不是一个表演讲演的地方，又不是一个太平无事的时候，实在用不着说上许多赘瘤的话，法官要听的只是直捷爽快、斩钉截铁的语言，——只要把事实清清楚楚的，明明白白的，简简捷捷的，有果断的样子说出来便是了。

不管你有多大的能力，你受过何等好的教育，你有多大的势力，你有多大一点的聪明，如果你没有又快又果断的这种艺术，你捞不住要害，你决不能有多大的成功。

有许多青年人在专门学校毕业出来了，也得到了他们的学位了，我们对于他们的印象都很好，觉得他们都是有为的，都是大有希望的；可是，这里罢，那里罢，这样罢，那样罢，他们自己再也不知道如何是好了；他们好像时刻都在打算要做一件什么事似的；他们有时候好像也真个注意到某一最重要的一点了，但是，还不曾到手便又放手了。真不知道有多少生于高贵之家，丰衣足食，受过高等教育的人，太使他们的亲戚失望了，太使他们的朋友失望了，太使他们自己失望了，只不过是因为他们没有一点直捷爽快的能力，再也找不到最重要的一点，施展出他们的才干来。

要在二十个应考的少年人里面择出一个来，一个料事神速的精明的东家，一定要择一个能把他的主题直捷爽快的说出来的，用几句话便能把他的意思述说得明白的，略略的问一问讲一讲他的位置的情形，他便不再多话，成也好，不成也好，他是再也不会说他已经是做过什么大事的了，再也不会说是什么事情都是他会做的了。

奥格登（Robert C. Ogden）是和华那玛克（John Wanamaker）常常共事的，他说是据他的经验看来，有许多青年人，不能上进，第一个原因是由于他们有一个多说话的习惯。他说是一个不很开口的人，一个多思想、少说话的人，是比较深沉的，往往能够成功。

有人去请问老樊特比尔（Commodore Vanderbilt）关于他的成功的秘诀的时候，他的回答是：“闭着你的嘴。”

二四　守时奴

成功的人对于他们的时间是很吝啬的。忙着一切事务的忙人，他们有很多大问题，第一个便是要把那些荒废时间的人赶走，谨防着他们跑来把那金子买不回来的时间白白的糟掉。

安排做事的人，替自己的生意上做也好，替别人的铺子里做也好，一定要学会判断来客在生意上的价值。他们应该随机应变的把过分的晤谈作一结束。在营业时间之内，扯些没要紧的事情来闲谈，最有损于人们的办事效率，真等于抢劫了人们的东家了，也最妨害做生意。

有名的会办事的人都能随时有敏捷的决定，客人通报进来了，给他多少一点时间，早有成算了。前总统罗斯福，他是这种人的一个最好的榜样。一个客人走进他的办公厅来了，如果是一个阔别的，握一握手，寒暄几句，便问明来意，并明说还有许多“好朋友”都在等待着。因此，他的来客，都直截了当的把他们的来意说明以后，便一点不迟疑的很快的退出去了。

有某一个很大的会社的社长，谁都知道他接待他的来客有很好的礼貌的欢迎，他有一种特别的随机应变的才能，他一会儿便能把你引到手上要接洽的事情上面去的。事情接洽以后，他便很殷勤的站起身来，和来客握一握手，告诉他真是很抱歉的，没有时间可以陪他，来客对于这位忙人的真正意思其实还不曾真正懂得，他走的时候，觉得今天待他还不错，其实他和他谈话的时间还不上三分钟。有许多大银行的行长，保险公司的经理，托辣斯里的高级薪水的职员，都有这种久练成功的才具。有许多有势力的企业家，又有力量，又有把握，又有理解，又有办事能力，他们在做生意的时候，往往是不多话的，但是，谁都知道他们是很直捷爽快的。他们从来是说一句话算一句话的；他们把他们的时间从来看作资本，他们从来不肯让他们的时间给不必要的事情白白的侵害耗费的。

这种又敏捷又直截了当的有办事能力的人，自然要惹出许多仇人来，但是，他们是在要干出一点成绩来的——他们是在做事。他们相信商业上的纪律应该像军队的纪律一样，与生意无关系的人，实在用不着同他们周旋。

一个商人的最有价值的资产便是同别人处理什么事务都是很能简括的。这是一个成功的人的一种表现。只有知道时间的宝贵的价值的人才能明了这是很重要的，才能小心谨慎地防止着那些一点意思也没有，又不知道到底有多少话再也说不了的人侵入。

在今日的商界里，要举出一个同人处理事务真很简括的一个有力的榜样来，除了摩尔根（J. Pierpont Morgan），很不容易有第二个了。他的许多仇人都责备他，说他太野蛮无理了，但是，他们并不知道这不过是一种商业上的纪律。直到现在，他还是上午九时半便到了办事间了，大概要到下午五时左右才离开。有人替他精确地计算过，他的一分钟，要值二十元，但是他自己觉得还不止此，除了关于商业上有特别重要的事情接洽处理，很难得到五分钟的时间和他谈话。他从来不关起门来坐在他的私人办事间里面，用几个秘书以及防卫的人保护着他，像别的许多大商人似的。他总在一个公开的房间里面坐着他的办事桌，那里自然也还有别的许多工作者坐在他们的办事桌上，他一面要做着联合的工作，一面又还要拟他的大计划。你有生意上的事情去找他，你立刻可以找到他；如果你并没有充分的理由，在他的办事时间内去找他，他一定要皱眉头的。摩尔根先生有一种可惊的本能，他把人一打量，他登时便会知道你找他是为了什么事情。你对于他，用不着旁敲侧击，用不着意在言外。他一会儿便能知道底蕴，所以很能够省掉不少的珍贵的时间。有许多人并没有一点关于商业上的事情接洽，不过是欢喜那么“不期而至”的来白费一个忙人的珍贵的时间，摩尔根却从来不让他自己来做这种人的牺牲品的。

二五　康健便是资本

一个抱定宗旨要成大功的人，他必须觉得自己是站在一个很重要的地位，他应该时时刻刻都在充分的准备着上那生活奋斗的剧烈战场上去竞赛一样。他应该为了一定要胜利的原故，时时刻刻的操练，要像那专门学校里的运动员似的，时时操练着球类，时时操练着赛跑，准备争胜于一日。

专门学校里的赛船的人，为了争取他们的荣誉，年年要苦练，久练，春天也练，冬天也练。他们不能不制住不吃那些有刺激性的东西，不能不制住不吃那些想吃而不能吃的东西，只吃那些可以加强他们的筋肉肌肉的东西。他们又还不能不被强迫着去遵守那有规律的时间，吃、喝、睡、练习，样样都要注意着规定的管理。几个月后，他们的神经才能勉强算得很强，生气才能勉强算得很足，体力上才能勉强算得是很有忍耐力了。

为什么要费几个月的时间，这样苦练呢？这样饮食都要受严格的限制呢？这样过那有规律的生活呢？只不过是为了能够抵得住用全力作一场二十分钟的竞赛！但是，这一点短时间的惊人的努力，是胜利所系的，往往要把那贮藏起来的气力用去一大部分。

一个没有经验的人免不了要说了："几个月之内，为什么要这样受罪呢？为什么不能享受一点娱乐呢？有什么用处呢？天天早起，早睡，天天练习，又是跑，又是划船，又是打什么沙袋，无非是在运动场上做工夫，等到气力练得很有一点样子了，一场不到半小时的竞赛，又把气力用完了。这有什么好处呢？"

但是，依我看来，各专门学校里的学生，要去参加船赛的，要去参加其他的竞赛的，他们是巴不能够还要苦练的，还要严格的练的，还要尽力的把他们的气力贮藏起来，在几分钟之内便把他一气用出来，去争得他们的奖品的。

我们又年年听得到青年人说："为什么要费几年的时间，准备进专门学校，打专门学校里毕业出来呢？有什么用呢？年年学数学，学科学，学历史，学语言文字，结果，遇着紧急关头，有什么用呢？数学的基本原则，普通的语言文字，历史常识，地理常识，政治经济常识，公民常识，一百人中，倒有九十九个都对答得出。”

真的，一点不错；可是，遇到紧急关头的时候，遇到生活竞争剧烈的时候，奖赏却到了那些很适宜的人们的手里去了，却到了那些苦练苦学的人们的手里去了，这般青年人，这时候才怪了，怎的那么学了许多年，练了许多年，怎的还是不成功呢，不灵呢。他们这时候才悔了，悔不该他们早一点多用一点时间，多用一点气力，多学一点，多练一点，像那运动员一样，多贮一点体力，多贮一点生气，拿来应付那紧急关头了。

一种成功的生活里有一个很重要的问题，就是要把你的脑力，你的生气，你的体力，怎么样的善于应用，用得适宜恰当。有许多人把他们的气力白白的花掉了，把他们的脑力也白白的糟蹋了，连他们自己看来，也断定委实是等于浪费金钱一样。

虽然世界上真的没有一件别的更有价值的事，在一个预备成功的人眼里看来，比得上一定要把气力用在有效果的方面了，但是，事实上，他最会浪费糟蹋的还是气力。他浪费糟蹋起气力来的时候，照例是用水似的。普通一般人，不但时常要白白的花掉他的精力，对于他的替他产出成功的资本来的这副奇异的机器也一点不加适当的注意，只让他那么陷在一种没有一半元气的状态里面。

人们有千百种浪费他们的脑力的方法。生活上的最惊人的损失便是时常恼怒焦躁，时常忧愁烦闷。比起那些毫无用处的坏习惯来，这种斫丧可爱的生活机器的力量，实在可惊得多了，实在可吓得多了。

人们没有一个是能够感觉满足的，不管他的成就已经到了什么地步，他们还是要急急的向前跑了去的，一直要弄到他们恢复起来的气力又觉得有点不够了，不济了，什么事情都好像又做不好了，他们这才休息一会儿，让他们增加一点新的气力。他们的元气都白费在欲望太大的刺激上面去了。他们往往又还要拿他们的精力来做过度的工作，连觉也不睡，也不吃滋养的食品，又不做健身的运动，结果，神经也衰弱了，或者是别的什么毛病也生起来了，这个，非用多年的可贵的时间来休养，是不能恢复的了。

这是何等的愚蠢呢，一个人一定要把他的脑子刺激得很厉害，刺激得很疲劳，刺激得连工作也拒绝不做了，刺激得玉般的机能都起了很大的反感，刺激得连判断力也差不多要丧失了，刺激得无论做一件什么事情都是有气无力的，好像没有一点元气的样子了！试问拿一架坏了的肉体机器去做工作，有什么用处呢？忧愁烦闷的消磨，过度的苦工的疲劳，损坏了的玉般的神经组织，是一点事也不能做的了，他们能盖上一个“实在没有气力了”的图章吗？

没有一个有辨别力的慎重将事的商人敢想着，他从铺子里，或是银行里，拿出一文钱来，是无损于他的经济基础的。但是，有千千万万的青年人，觉得从体力银行里，今天去拿出一点生气来，明天又去把贮蓄起来的精力拿了出来，还是能够成功的！

如果一个青年人对于他的体力与心灵的资本丝毫不加注意，如果他不随时随地避免劫掠了他的健全的身体，便是等于劫掠了他的健全的心灵，劫掠了他的创造的精力，他的雄心以及他的把握得住的意志力还是不能拯救他免于失败的。

我时常看得见一个老人——实在老了，虽然他的年纪还不满三十岁。他开业的时候，他的脑力很强，也很有能力，身体也很结实；事实上，他的天生的资本比一般的开始谋生的青年人都大，但是他还不曾到了中年，他便完全破产了——身体，破产了；精力，破产了；道德，也破产了。

我初认识他的时候，他真是一个很有希望的有为的人。我很羡慕他的管理的能力，充分的生气，以及他的乐观的人生哲学。但是不久，我看明白了，我看见成功的小小敌人来吮他身体上的精力了，把他的精力贮藏所，凿上了几个很大的漏洞了。那人的全身的气力都败坏了，都给那种秘密的力量渐渐的劫夺干净了，没有精力再能把他的工作做到很满意的地步了，这是自然的结果，自信心也没有了，自尊心也消失了，他所得到的只是以前的人品的影子上面多了一些污点而已。

这是必然的，他对于他自己已经没有了信任心，别人对于他便更没有信任心了。他去做一做这个位置，又去做一做那个位置，换来换去的，总不成功。从前是那么一个大有希望的人，大有作为的人，现在却是一个完全损坏了的人了，只能想象着他或者可以做到的那么一个地步的一个影子而已了。他只得三十岁，他的精力已经耗费净尽了，他的体力已经糟蹋干净，已经不像从前那样有一点血性的样子了！酒肉朋友是罪恶的双生儿，毁了他的光明灿烂的希望了，使他未到中年，已是一个老人了！

如果你时时刻刻的要吹毛求疵的找错；如果你觉得在你四面的情形都是使你气恼的；如果遇着一点小挫折，便觉得是老大的刺激；如果是一点细微的事情，你便觉得制不住你的烦恼；如果在生意上有一点什么错误，你便暴跳如雷，纷乱如麻；你或者是很明白的，一定有一个什么敌人来在你的体系里努力工作着，所以使你的精力好像有点不济了，你的生机好像给他磨折得很颓丧了。

应该立刻把原因找出来。也许是你的香烟太抽多了。没有一种别的事情能像过度的抽香烟那么快速地枯竭你的精力，戕贼你的生机的了。也许你犯了双方浪费的毛病，夜夜要去参加宴会，夜夜要进戏园，夜夜要坐到三更半夜才睡，到了日里，再来补做你的工作，或是补读你的功课，睡眠不足妨碍着你，使你头昏脑闷的，现出非常怠惰的情形来了。

你如果在清早起来的时候，便觉得不快，便觉得有点恼怒，一天到晚也是那么很烦闷的样子，焦躁的样子，无疑的，你的体系里一定有了很大的毛病了。心灵上的烦恼最容易发生恶影响。或者是为了你的店事，为了你的家事，为了其他的事，你觉得恼怒焦躁，忧愁烦闷了。不管是什么原因，你应该把它找出来，去掉它；不然的话，只有让它糟蹋掉你的生活。

如果你的神经系统已经纷乱了，你是再也不能把你的工作做好的了。如果神经系统的中枢既不能得到有规则的营养，又连带着给体力与心灵的病态损伤了，你的心身的大机器也一会儿便会生出很大的毛病来的。

没有一架破了的机器还能够做出很好的工作来的，你如果还要带一点勉强叫它做工，机器上的齿轮本来是已经给什么毛病阻塞住了，你越用它，它会越坏，一定要坏到不可收拾的地步的。

有许多很肯努力做工的人，他们都不明白，神经细胞已经疲劳到一点生气也没有的地步了，如果还要做工，是很危险的。没有一个好工程师不会想着，一架很好的很复杂的机器，如果机器油用完了，它是不能走得很好的了。他会知道的，机器油没有了效力的时候，机器上的各部分会发热的，会着火的，机器的和谐动作也会坏了的，磨擦与不和谐的毛病一会儿便会完全损坏了机器的适当的全部动作的。

有许多有辨别力的人（在某种方面罢），他们委实都是些筹划过许多奇妙的机器的工程师，对于伟大的造物主造出来的这种神奇之极的机器却不很明了，肉体上的引擎跳动起来，果然是很精妙的，但有时候也不免有一点龌龊弄进去了，也不免有一点轧轹了，全身的组织好像也有点不和谐起来，或者是有好几天了，或者是有好几个星期了，再也不加以一点适当的擦洗，再也不加油。

我知道，却也有许多商人，他们的身体并不怎么强壮，但是他们对于自身有一种有规律的训练，在一定的时间吃饭，在一定的时间睡眠，睡眠也一定要足，他们成就的事功，往往比许多聪明强壮的人多得多。

他们时刻都在注意着，做起生意来，一定要活泼，要有力，要有效。所以他们从来不肯让什么事情来耽误了他们的睡眠时间，或是破坏了他们的饮食与运动的规律。

有规律的生活真能增加人们的成功的力量。你应该练一练，每日做着你的工作的时候，要像那锦标的夺取者走上了竞赛场了——庄严宏壮的样子。

关于你的事情，自然不能作为例外的。对于你的睡眠不足，又不运动，吃食太苦，它是从来不来加以考虑的；它只当你是什么都是很合格的。什么请求原谅，请求恕罪，在它面前是无所用之的。如果你犯了它的律例，你便是坐在宝座上，也要受罚。

有许多人从来不肯动身出去作一整天的旅行，除非他的车轮已经擦足了油；有许多人从来不肯在早上便开动他们厂里的种种复杂的机器，一定要等到他们把机器的各部分看得一点毛病也没有了，可以经得住轧轧的磨擦了；但是，他们在开动他们自己这副造物主所造的千万倍复杂的机器的时候，从来不知道要把油加足，要供给它充分的燃料，要给它充分的休息，让它有动作的气力。第一，佳美无匹的机器，如果加油不加得恰如其分，它是会渐渐损坏的。人也知道他这副奥妙的机器如果出了毛病，不但做出来的工作要不得，而且有时候，它会完全坏到不可收拾的地步的。但是，他还想着他的脑细胞是可以动手开动工作的，也不曾睡眠、娱乐、休息，让它恢复，一整天的工作，各部都燃烧着了，机枢也磨擦过分了，他还在想着他的工作做得很完备。

他清早起来还想着他的又复杂又佳美的消化器官还是一点毛病都没有的，原来他在昨夜，吃了一席都是些一点不易消化的很不适宜的七七八八的盛筵，已经把胃口吃坏了，他又不小心，在那班令人可怕的一群人当中，又不曾呻吟一下子，又不曾说一句遁辞走开，他这才连忙跑到医生那里去，却又不希望他把病源除去，只请他给他一点药治一治。他也许便下一点蓖麻子油给一个贼吃将下去，希望着蓖麻子油能够把他的一肚子的不忠实的欺骗病治好！

充分的睡眠和多多的户外的游息，特别是在乡村里，是最好的加油的办法——是天然的恢复疲劳的办法，是使你神清气爽的办法；没有这种办法，要想做出继续不断的很好的工作来，那是不可能的。

有许多医神经病的专家说是自杀的直接原因是由于脑细胞疲劳到了极度了。

你觉得你的气色不很好的时候，觉得有点很绝望的时候，觉得生活的香味已经散失了的时候，觉得对于什么事情都不能像从前那样十分有趣味的时候，觉得你的生活真有点讨厌的时候，你大概有点明白的，你应该多多的睡觉了，你最需要到乡下或者是户外去运动运动了。如果你真的做到了，你以前的热忱一定是能够恢复的。花几天工夫到乡下去，或者是随便运动运动，或者是爬爬山，或者是在草地上走走，时常在你的脑际盘缠着的阴沉黯淡的黑暗无光的画图都会涤尽而消逝的，你的精神也会恢复得很轻松爽快的。

没有一个人可以说是很健全的，除非他能欣欣然享受着朴素的生活，除非他觉得他的存在真是一种可贵的恩赐。更没有一个人可以说是很健全的，如果他不知道这是应该感谢的，他还活着，能够用他的心力，他的情感，来思想，来行动。

二六　好好的小心注意

任何一个人，要他的生活好，一定要学会“自爱”；换句话说，就是他要用尽脑力增进他自己的进步的时候，他应该记住，他的成功一大半要靠着他对于他的这副使他成功的机器——再换一句话说，就是他自身——究竟是怎么样的小心与注意。有许多所谓成功的人，实际上，他们自己便是他们自己的唯一大敌。他们从来不想着，他们自己哄骗他们自己的那种情形，委实同虐待牛马，虐待一切不知道说话的哑巴畜牲是一样的。他们有时候连饭也不吃，吃起来又很随便，从来没有规定的时间；对于睡眠，对于娱乐，也好像不很注意；真的，什么保持身心健康的自然律，一概都破坏了，他们还要觉得奇怪，诧异，怎的头发也白了，怎的消化力也太不强了，怎的还不曾到了中年便衰败得这样一点也支持不住的样子了。他们并不知道他们的雄心实在太大，欲望实在太奢，他们的体力是不够的，所以他们只好绞脑筋，逼迫着脑子工作，逼得好容易在二十四小时之内积起来的一点脑力，一点也没有了，给他们用得完全枯竭了。

这里有两种效果，要便是过你那种愚拙的轻浮浅躁的不谨慎的生活，用你那种虐待你自己的工作过度的办法，用你那种连必需的休息权利也剥夺净尽的办法，再也不要去问他支持得住支持不住，只管把你的寿命促短他五年，十年，或者是十五年好了；要便是服从着康健的定律，再多活几年难能可贵的时日。

再没有别的能够比得上体力与心力这样可贵的了，无论怎么样，你都是应该保持的。换一句话说，就是，再没有什么别的更可贵的，能像体力与心力这样帮助我们，使我们可以在世界上前进得很快，前进得很好的了。

个人的气力是很重要的，我们一定要有气力，要保持得住气力。在城里，在乡下，我们可以看得见许多男女，特别是男子，或者是只有三十岁，或者是只有三十五岁，他们的肩头已经竖起来了，头发也已经白了，精神也已经是很颓败的了。他们走起路来，已经没有弹力；他们的态度，已经是很不活泼的样子了。他们有一种达不到目的的雄心，要大发其财，要大大的出名——要把许多竞争者一手推到很远的地方去，结果，他们的一切能力都受了创伤了，毁坏了。他们的生活既很干燥，又很枯寂，他们的脑筋也已经坏了，论他们的体力与心力，都还是正在“血气方刚”的时候。

千千万万的自以为很有意思的人，从来不给自己一点需要的富于滋养料而又能生长气力的吃食，说是要省一点钱。这种人，往往喜欢跑到点心铺里的柜台头，匆匆忙忙的，要上几片夹肉面包，要上一杯牛奶，吃喝下去，说是省一点时间，省一点金钱；他们实在太薄待自己了，太轻视自己的康宁了，他们应该走进好的馆子或是旅馆里面去，多费一点时间，吃一点滋补的烧得又好又适当的肉，让胃里有充分的时间消融一番，再去做他们的工作的。

这种办法，不但说不上经济，简直是一种最坏的浪费。一个预备要成功的人，他的很经济的办法便不同了，他要用种种的方法，使他的成功的气力加大，心力加强，脑力加足，他的全身是生气勃勃的，干起事来，一定要有功能，要有效果。连产生神奇的气力的吃食的原料都把自身剥夺掉，这种的情形，真是等于拿起一把刀来，把一只下金蛋的鸡一刀杀死了。

有许多人对于他们的庄严宏伟的天生的聪明才智真个太蔑视了，他们只有一点平常的成就，只不过是因为他们对于自身这副成功的机器太于忽略，不曾充分的供给它一点原动力，让它开动。

有千千万万的人们，因为对于他们自身太不加以适当的小心注意，竟横死于雄心的失望的灾殃里面，竟不能实现他们的聪明才智未尝不可到达的希望的十分之一。

他明明有一个宝贵的生活的精华的贮藏所，但是他一定要用手钻把这里那里钻上许多漏洞，让他的生活之力漏将出去，糟废净尽，你还不觉得他是一个癫狂的人吗？可是，在我们当中，有千千万万的人都是这样过日的。在开始的时候，我们的生活之力真像一个大池、一个大湖，但是，由于我们太不小心注意，由于我们太无知无识，在贮藏所上凿上了很大的漏洞，竟令大部分的气力，逃泄出去了。

我们时时要把我们的生活之力在这里在那里的乱用，我们又时时要把我们积蓄起来的可以成事的生活之力抢来白白的耗费，我们又时时要断送我们自己的能力；但是我们还要觉得奇怪，怎么老是不能成功。

睡眠不足，户外运动又不足，有滋养料的饮食又不足，又没有适当的朋友来往讨论，工作又过度，做起工来的时候又毫无精神，当做苦差使——这种种的事情，没有一样不是吮我们的精力的漏洞，没有一样不是劫夺那些可以使我们成功的生活力的积蓄的一个很大的漏洞。

你的身体的态度是怎么样的，姿势是怎么样的，不问是在日里在夜里，和你的体态、健康、容貌，是有很大的关系的。我们走上街去，那怕我们并不认识他们，但是我们一下子便会知道他是一个海军的军官，或是一个陆军的军官！谁不欢喜那样的态度，那样的姿势！但是，只要不是一个天生的残废的人，只要注意着几条简单的规则，只要留心着练习练习几种容易的运动，随便一个什么人，都是能够有那一种的态度，有那一种的姿势的。你知道，要不了几个星期，或是几个月的训练与教习，一个拙劣蠢笨的新补充兵不是便会一变而为一个上好的、挺直的、很尊荣的兵士吗？

无论是走着，是站着，要常常是很挺直的，越挺直越好；双肩要向后一点，胸前要稍挺起一点，下颏要稍稍伸出。站着的时候，要站正，不能重在脚尖上，也不能重在后跟。照着这几条简单的规则严格的做去，你的态度与姿势必定会有很大的进步。

你把你的身体养成一种总是挺直的样子，尊荣的样子，有威仪的样子的习惯，与你的健康和自尊心是有很好的影响的。

走路的时候，两条腿不能弯弯曲曲的；最好要顺势让脚趾先落地。两臂要很自然的前后动着，却不要很急速的多动。要注意，切不可摔上摔下的乱摔。走路走得美观的人，像平水那样流了去的。曲线最美观，角形或是急跳，都很难看。要走得美观，并不是很难做到的，但是我们不妨记着，自然最讨厌的是歪歪斜斜的行动，是忽急忽慢的行动；它觉得曲线的样子是最好的，最美的。

女人为什么比男人美丽得多呢？因为她们生来有曲线美。一个女性的模特儿，无论怎么样，你找不出角线来的。

有许多人，坐在那里，腰是垂下的；真的，除掉受过训练的，大多数都有这种毛病。一天到晚都是摊在椅子上，摊在沙发里，站起来的时候，走起来的时候，怎么还能够希望着有一种很好的气度，很好的姿势呢？而且，懒散的姿势会影响人们的心地的，心也会懒散了的，思想也会懒散了的。

才能与官能的关系异常密切，有一样有了毛病，样样都受影响。坐得不正不挺直，没有一个人能够好好的读书，好好的写字，好好的思想的。思想立刻会同身体表示同情。

有一种躺在床上读书的习惯，或者是只要可以随随便便的躺下来便躺了下去，或者是懒在椅子上，跷起脚来，这种样子，登时便会叫人知道你的思想是怎么样的了。像这种样子，要有好思想，无论怎么样是不可能的。身体必定要挺直，还要有一种庄重的态度，什么位置，什么衣服，都是牵制不住你的，压不住你的，碍不住你的。不舒服，不自由，无论是一个什么人，都不能好好的思想。

关于消化力，也一样，弯腰曲背的，一点都不自然，这种的姿势，能叫他受着很不好的影响。因为这种姿势非常妨碍着血的循环，使心脏的工作要特别加忙，特别加重。这种官能，如果工作过度了，隔不了两分钟，他好像便要来一种什么特别的力量叫他全身的生命之流松爽一下才好了，于是，身体便显出一种很不自然的样子来了。

如果一个工程师想在机器油上省一点钱，听他的机器坏了也好，引擎坏了也好，你觉得怎么样？我们实在应该说他是一个很愚的愚人。但是，做这种愚事的人实在太多了！我们对于有损于这副肉体机器的地方固然不省，但是，我们在找快乐方面，在休息方面，在游戏方面，在健康的娱乐方面，不是往往还想省它，要省它吗？这种种，委实是等于机器上加油一样，却是能够叫机器更加长久耐用的。

二七　精力资本的浪费

我们出来做事的时候，都很有一点精力。我们可以拿我们的精力来怎么样用便怎么样用；但是，有许多人，并不拿来用在最好的方面，却把他们的精力的资本拿来消磨在烦闷、恼怒，以及许多不必要的事情上面去了，——真是些小枝小节的事情，无论如何，与他们的成功是毫无用处的。

如果我们学习学习怎么样把握住我们的思想，一定要在那需要的时候才让我们的思想力展开、扩拓，不要让他在那些毫不重要的事情上面点点滴滴的漏去、泄去，我们真个不知道能够成就多少奇迹！

真不知道有多少青年人把他们的体力与心力完全拿来浪费掉了！他们对于他们的体力与心力的价值，再不爱惜！

我们到处看得见有许多青年男女，浪费起他们的生活精力来的时候，真像用之不竭的样子，他们都以为青春是不易消逝的。他们糟蹋起他们的气力来的时候，真像春天涨大水了，涨得满村遍谷的，不算一回什么事。但是，到了青春的浪潮过去了的时候，他们这才觉得干荒的时候到来了，他们这才明白，从前实在不该那么漠不经心地拿那可贵的青春来浪用，糟费。

有许多地方，春水涨时，水是很足的，但是，到了夏天，连小川也都干涸了。最好的办法是要筑起水闸来，把春水积贮起来，等到需用的时候，再放出水力来做磨坊里的工作。

我们在青春时期的体力与心力真个是和春水一样的。但是到了中年或中年以后，也要渐渐的枯竭了。如果人们对于他们的精力是很看重的，现在决不会有这种很不幸的事实了，他们到了中年，雇主们便不要他们了。

摧残心力的事情一定要连带着摧残创造力，没有了创造力，要想得到适当的成功，万不可能。斫丧生机的人，不管是由于骄奢淫逸，由于工作过度，由于懒惰颓丧，既戕贼了自己的心身，他同时便丧失了他的新思想，判断力，发明力，创造力；他的这种力量都停止了，他的进步自然也就停止了。有许多青年人觉得偶尔去寻一点他们以为快乐的娱乐，去买一点他们以为舒服的放肆，偶尔牺牲几夜不睡，真是一件很小的事情，他们并不知道要花掉他们多少很能发展的力量。

一个欢喜吃酒吃得过分的人，他再也不会明白，他那么花上一点钱去买上一点片时的口味的满意，如果客观地来看一看，他真要吓倒了。如果他还不曾成为一个酒醉糊涂的牺牲者，预先能够把那败坏体力的狂饮的习惯影响于他的行动的情形看一看；如果他能够把那第一颗摧败他的脑子的种子在脑子里成长的情形看一看；如果他再能拿一副显微镜，把那腐蚀他的血脉、血管的动作，吮他的血，戕贼他的肌肉筋肉的弹性的作用看一看；总而言之，如果他能够把那使他的心身之力渐渐的逼成同一只水母一样的程度看一看，他一定要大惊失色了，一定要倒退了，连酒的面都不敢看它一眼了。

我们的天禀、体力与心力，是一副关系很密切的很复杂的机器，太精美了，太有感觉了，只要一部分有一点毛病，登时便会影响全部的。不问我们的衰败的地方是在那里，已经到了什么地步，无论是写字，是说话，甚至内在的思想，都是要立刻受着它的影响的。这是我们身上的一部分，像人格一样，你做了亏心事，要隐瞒，可是它却是要“多开口”的。

一个反复无常的人，一个像钟摆一样摆来摆去的心旌不定的人，他无论是对于一个什么问题，从来没有一个坚定的独立的立场，便是对于他们自身有很大的影响的事情，他也是那么反复无常的拼着性命去花费他们的心力，一直要弄到连他们自己推动的事情也都不能干了，一直要到他们应该早早便要多多的积贮起来的创造的精力损失得一点也没有，再也挽回不来的地步。

一个有凶悍的脾气的人，他的情感有时候一定要暴发得不可收拾，也一定要把他的神经组织闹得异常的疲惫，甚而至于要到那一点起码的气力都劫夺得净尽无余的田地。

人的身体上只要有一点容易起冲突的原素，不问是由于身体很不健康上来的，还是由于坏脾气上来的，还是由于怀私作弊上来的，还是由于骄奢淫逸上来的，还是由于反复无常上来的，还是由于其他的种种恶德上来的，人们无有不认为是很无意思的，很无意义的，很下贱可鄙的，也一定要戕贼人们得到成功的精力，如同在一个竞走起来一定可以得胜的人身上去加上一点重负似的。

没有冒险进取的精神的青年人，他决不能有很迅速的进展的希望。便是要谋一件事，没有冒险性，没有胆识质，也不成功。有谁愿意引用一个不勇于做事的青年？他必须是生气勃勃的，精神很饱满；不然的话，无论他走到那里去，都是不会要他的。既有胆识，又有冒险精神的雇主，他希望每一个雇员都能够替他分神。一个不能冒险的商人，更需要雇员们帮着他从那失败的境地里再做到那大有起色的地步的。气力，勇于做事的精神，有原动力的性质，到处都在热烈的祈求着；只有那些旷时废日的人，一点不适宜的人，也没有进取的精神的人，老是在那里空空的等待着，不但不能有上进的希望，连要得到一个位置，也很困难。

有许多人因为贪图舒服，再不能达到他们成功的希望。有许多人，便是为了他们的前途的幸福计，他们也很不愿意受着一点不舒服。他们觉得，如果还容易的话，如果还适宜的话，便能成功，那么也没有什么不愿意；不过要叫他们牺牲一点舒服，牺牲一点适意，他们看见需要这样的努力，他们便要掉转身来走了。这真是一件怪事，为什么人们只要舒服，什么都不顾了？只要得到一点暂时的慰藉，无论是怎么样的苦恼，怎么样的可厌，便都一概不问了？他们为了舒服，一定要对着许多千载一时的机会一个个的飞走过去，一定要坐误到什么机会都失掉了才罢。他们再不愿意起早，因为睡在床上是很舒服的。他们觉得天气很冷，又像要下暴雨了，他们便都不愿意出去了；因为，在家里，或是在办事间里，多么方便；于是，许多好机会都交臂失之了。有许多人，什么都引诱他们不了，只有舒服买得住他们。他们所希望的是，只要适意，只要不费一点气力。

爱适意，爱舒服，是成功的最大的障碍。人们没有一个不是欢喜做那又很容易又很适意的事情的。他们吃不了一点苦，受不了一点罪，干不了一点不平常的事，只要能够避免得掉，他们一定是要避免的。千千万万的人到今天还只能赚得一点很低的薪水，因为他们怕做苦工，不能上进。他们欢喜蹲在生活之梯的下面的一两级，因为，比起那一定要特别用劲才能勉强爬得上顶来，眼前多少是可以得到一点暂时的适意，暂时的舒服的。

成功对于任何人是一样看待的，一律平等的，决不歧视的，也不把你作为例外的，只要你的努力果然上了最好的水平线上。最忠实的人便是一个最成功的人。有一个英国人，他是一个瞎子，但是他成了一个大音乐家，一个大慈善家，一个大数学家，一个名满天下的人。许多人去对他表示钦敬的时候，他的妻回答道："他比别人不见得聪明，但是，有几点是他做到的了：他的才能都要放出来，也从来不肯轻易让机会走掉。"在这个回答里，她已经替真成功下了一个很完满的定义了。

最好的一课磨练的功课就是无论是在一个什么环境里，要把我们所有的能耐一齐拿出来。如果他是一个自己可以做得自己的主人的人，他的气力，无论在什么时候，他自己总是把握得住的。不问他的境遇是怎么样的纷乱，也不问他的工作环境是怎么样的不幸，他的气力总是可以完全由他自己主宰的，总是可以由他自己拿来向着那把握得住的方面放手干去的。如果一个自己做得主的人也会遇着困难的事情，他会一脚把困难踏碎，拿着他的那种障碍物来当作一个过水的踏脚石的。如果大难又临头了，他会把那种临头的大难拿来当作一个另辟一条新路的起点的，当作一个别一种新的努力的转向点的。他也许还不免要经着悲愁苦恼，还要受着灰心失望，但是，他已经下了很大的决心了，他一定是要把他一心要干成的事干成功的。

二八　“从来不贮一文钱”

我有时候听得见一个青年人对我夸口，说是他的薪水很大、很多，但是他生平从来不贮一文钱。这位青年，从来不储蓄，到了老年，他一定不会有一点积蓄；便算他的运气好，赚了一点钱，他也是保不住的。

雪茄烟，戏园里的门票，以及其他的许多不必要的浪费，——有许多青年人，在这种上面花去的钱最多，——使人最不容易把第一个一千元，一种必要的基础，比什么还必要的基础，打稳，奠定。

有许多青年人，初进社会，他想着最快的讨好的方法无过于把钱乱花，好像无论是遇着一件什么事情，实在用不着一定要晓得金钱的价值。他们欢喜人们叫他做“出风头的少年”，他们又欢喜人们对于他们有一种印象，他们的钱真像河里的水一样，淌了去又会流来，再不会断的。去看一个女朋友了，便是在中冬的时候，也一定要费上许多钱去买些很贵的花，又看看，还有什么别的贵族化的东西，糖果、蜜饯，以及别的什么好玩的，拿去献给她，奉承她。如果这位女朋友真个做了他的妻，她已经给他引坏了，只能阻碍着他，决不能帮助着她的丈夫挣扎到小康的局面了。

他们已经进了那种圈圈，地位同面子不能不保全，他们怎么可以不要打扮打扮；如果他们感到入不敷出的困难了，而他们又还不知道他们是很愚蠢的，他们怎么好呢，只有偷偷的在办事间里做那私吞公款的勾当了，久而久之，用场一天大似一天，私吞公款的数目也一天大似一天了。觉得脚步实在未免放得太快，良心上对于不忠实的办法也未免有一点不安起来，但是，已经迟了。这种所谓事业的事业，往往是不时的死亡的原因，往往是生活失望的原因，往往是生活不能维持的原因。

最近有一个作家说："社会上的一切真实的快乐都给人们那种什么都要好的脾气弄糟了。什么都要好看，什么都要时髦，衣服要时新，家具要时式；一切都要摆臭架子。这是第一个最普遍的浪费的原因。第二个原因是制不住自己的欲望，只要想着的都要到手，不管有没有什么效用。第三个原因便是道德上的放纵，已经成为一种传染病了，全有轻浮的嗜好，唯一的根由，就是没有一点道德上的训练，有许多事情简直是说不上还有一点庄重的气味，而且，全国的生活都像中了这种不可解救的毒了。”

一味的悭吝和聪明的省俭是大有分别的。一个悭吝的小孩子或者还有一点希望；一个奢侈的挥霍成性的，对于银钱的事很模糊的人，自然是没有丝毫希望的。许多人现在都是些穷小子了，虽然他们从前委实是奴隶似的做过苦工，只不过因为他们不能储蓄。

听说有一个少年人，他从来积不起一文钱来。他在中年的时候，连一块钱也没有，位置也掉了，朋友也没有了。我们时常看得见他，到处在谋事，只要碰见一个朋友便开口借钱，说是运气实在太坏。他不但没有工作做了，衣服也遮不住他的身体了，在冬天，简直要冻死了。他不想着，在少年的时候，在青年的时候，储蓄是很要紧的。他看不出储蓄这么一件小事，却要有一点积蓄的力量；他也看不出好人品是由于健全的省俭与经济的习惯上面来的。

现在，真不知道有几少人只能勉强顾得住自己的简单的生活了；他们再也不能向前走了，只不过是因为他们不愿意早早的牺牲一下子，早年多吃一点苦，早年多受一点困顿！他们从来不曾学过这种空手拍巴掌的艺术，这真是一种伟大的艺术。他们从来制不住他们的欲望；他们一定要过快活的日子；他们想着的，只要有钱，一定要买，便是负债来买也还是要买。

我从来不知道有一个什么青年人是很成功的，他用起钱来，毫不小心，挥霍无度。这正是一种心力松弛的表现，太无体统了，太不合度了，实在是等于自投失败的罗网。关于银钱来往的事情，一点不正确，一点不注意，一点不经心，无论如何，积不起钱来。如果有一件什么事情是一个青年人应该用力记在心上的，那么，就是关于银钱上的这件重要的事情，一定要养成一种谨慎与正确的习惯。

你的收入，不问怎么小，一定要定下一个用出去的限度来，不能比收入大、多，要做到比收入越小越好。这是可以断定的，无论一个什么人，他都可以配着收入过活，对于一般青年人，这自然也是一种无疑的真理。而且，无论怎么样，维持生活的费用总是比较便宜的，一个青年人的工资，决不会恰好够过一种清水滴滴的生活。实际上，生活必需费倒并不怎么高，高的还是奢侈费；不需要的雪茄烟，这种那种的酒，成问题的娱乐，赌钱打牌，摹仿别人的浮华——这些事情，往往是青年人负债累累的原因。真的要“剥猪猡”哩，他们免不了要把他们自己，身体和灵魂，一概都要抵押得干净。

有许多青年人，真的把他们的前途都抵押掉了，真的一点也不曾请求原宥，便连最真实的以扫（Esau）赋予他们的特权也都出卖掉了，为了要学着那些手段比他们高强得多的浮华的朋友们一样的称心如意的穿着，为了要同他的那些少爷朋友们一样要人们说他一声“摩登”。他们想着的全是一种虚无漂渺的幻想，他们的所谓快乐也全是些不法的欲望，他们的债台高筑起来了，他们的地位一天天的低落了，他们绝望了，他们的人味儿、尊荣、希望、热忱、自尊心——一切使得他们的生活更有意义的——都在黑暗中，在黄昏暮夜里，完全消灭了。

那不量入为出的青年，再不要拿什么恢复得起来的这种诡辩的话，来欺蒙哄骗他自己了。再不要起一个什么可以赎回种种从前的依稀影响的未来的成功的空中楼阁了，老老实实的毁坏捣碎罢。丢开现在不谈，单说将来怎么样怎么样，你以为夜了必定又是要天明的，又可以收割你所播种的种子了吗？不要受骗。自然律是铁面无私的。你不能避免你的行为的事实的教训。当你正青春的时候，你播散下去的种子如果是莠草，你自然也有收成；但是，如果是好的种子，秋收的时候却是可以充实你的仓廪的。记住罢，只有一个下种的时候，你要贮藏起来的是悲愁还是欢乐，全凭你自己。只有一个进仓的时候，进去的是光荣还是耻辱，是成功还是无颜的贫困，是公平还是不直，也是全靠你自己。

二九　大洋钱与欲望

想要大洋钱的人，要能克制得住种种的欲望。要有资本做生意赚钱，最好要用自己赚来的或是积蓄起来的，便少也不妨，总不要负债。

普通一般人都觉得省俭和悭吝是双生兄弟。其实他们都把意义说错了。省俭的意思是说用出去的理由充足便要用出去，留住的理由充足便要留住；悭吝的意思是说应当用出去的也一定不要用出去，不应当留住的也要留住。

有许多人都是些出名的“好好先生”，因为他们老是拿他们赚来的钱随便乱花，欠人的债都还不曾还清，一旦生了病，一旦失了业，他还要负累别人。像这种派头，还有什么“好好”说的呢，从前只该悭吝一点，不要奢华，不要挥霍，也决不至于既自累其身，又连累别人了，一齐都永不能得到自尊与独立。

纳斯钦（Ruskin）说：“省俭这两个字，在我们英语里实在曲解得太没有意义了。我们说到这两个字的时候，好像是单单指着把钱留着，或是不用出去。其实，省俭是指怎么用出去，不是指怎么留起来。省俭是说房屋要怎么样安排布置，人要怎么用，伙食要怎么管，账目要怎么记，钱要怎么用，怎么储蓄，时间要怎么支配，以及其他的种种要做到怎么样实惠，得用，适当，什么都不糟废。”

李甫顿先生（Sir Thomas Liptom）说：“有人常常来要我把真成功的秘诀阐明一番。我想起来，节省是很要紧的，大概，能节省的都能储蓄。一个青年人，也许有许多朋友，但是，总没有那么一个好朋友，一个靠得住的朋友，一个可以持久的朋友，一个随心所欲的朋友，一个能鼓励他前进的朋友，比得上一个小小的、皮壳的、上面有一个银行的行名的储蓄折子。储蓄是成功的唯一原则。储蓄能使人产生独立的精神，储蓄能使一个青年人立足，储蓄能使他有气力，储蓄能使他振作精神，真的，只有储蓄能使他得到大部分的成功——快乐与满足。如果个个少年人都能养成储蓄的习惯，纯正的人一定要多得多了。”

阿斯忒（John Tacob Astor）说他后来挣得十万元，不比先时的第一个一千元那样艰难；但是，他如果不把他的第一个一千元储蓄起来，他也许已经死在贫民局里面去了。

最明断的投资方向无过于积聚起来——积聚得愈多，积聚得愈快。

人们往往为了不打合同，不立契约，不在纸上写字，不知道损失了多少金钱。他们对于什么事情都是含含糊糊的，随随便便的。把一切契约，一切合同，写在纸上，这个习惯如果养成了，对于一个在社会上干事的青年，有很大的帮助；至于能够使他学会储蓄一层，他的帮助更是不用说的了。这个办法不但可以教会他把词句表示得正确，而且可以使他学会商业上的种种文件的法则与方式。

还有一件，如果一个青年男女能够养成一种习惯，随身带一本小册子，或是一本记账簿，把用去的钱都清清楚楚的、仔仔细细的记起来，他们会知道对于他们的经济的功用是很大的，真可以叫他们改去乱用浪费的坏脾气。如果你不把用去的钱记起来，如果做什么用也不记清楚，你一定要犯挥霍无度的毛病的；你的钱怎么没有了，那里去了，你会完全不知道的。

常例，住在乡下的小城里的小孩子，比起在大都市里的来，能省钱得多，经济得多。第一个原因便是在都市里有千百种骗小孩子的钱的方法。镀镍的容易坏的机器玩具、水果店、糖摊，还有许多花头，都可以把小孩子的钱逼干。这种种的引诱，在乡里比在大都市里少得多。一件镀镍的不结实的玩具，在一个乡下的孩子和一个大都市里的小孩子看来是不同的。乡下的小孩子把钱看得重，都市里的小孩子把钱看得轻。乡下的孩子觉得钱的用处很大，拿来买镀镍的东西，不过只能买得一点一时的高兴。他的袋里有了几文钱，数来数去的，到了有了第一块大洋钱的时候，他真觉得奇怪起来，不知道拿来做什么用好了。他的父母也都知道随时要叫他们的小孩子懂得一点储蓄的重要的知识，往往要教他们把钱存进银行里面去的。都市里的小孩子，他们的钱，来得真容易，去得也很容易。

普通一班小孩子，随身带着钱，并不送进银行里去写在一个怀中的折子上，普通一般人，钞票随身带，随时换用，这种人的用处往往是不会小心谨慎的。只要是欢喜的，不管有用无用，伸手进袋便拿得出钱来买，比起一定要到银行里去把折子上的钱取出来，实在容易得多了，便当得多了。总而言之，随便带钱的人一定容易养成随便乱用的习惯。

最好是把你的一时用不着的钱存进储蓄银行里面去，如果你走到了一个离银行很远的地方，你要想买什么，不跑到银行里去你便没有钱，有时候，你也就止住不买了。

佛兰克林说："如果你知道用出去的钱一定要比收进来的少一点，你已经得着那点铁成金的仙丹了。"他又说："让忠实和勤劳做你的永久的伴侣，把你随时的靠得住的进入留下一个便士不要用去；你的袋里决不会是常常空空如也的，讨债的也决不会来侮辱你了、欺凌你了，也不会常常的打着饿肚皮，也不会赤身露体的冻死了。"

有一个青年人想学印刷术，他的父亲却是一个光景很好的人。他的父亲的条件是，他仍旧要在家里住，不过每一个星期，他要在他赚来的一点真正不多的钱里拿出一点来付伙食。那位青年觉得这个办法太厉害了，因为他余不下一文钱来给他自己用了。但是，到了他要做一个印刷厂的主人的时候，他的父亲对他说道：“我的孩子，来，这里是你当学徒的时候付给我们的伙食费。我不是真个要你的钱，我不过是要替你积贮起来，让你拿去用的。这点钱，你拿去好好的做你的生意罢。”那位感谢不尽的青年，这时候才明白他的父亲的智慧了，因为他的许多同伴，都有把工钱拿来随便乱花的毛病，现在都很穷，都很邪僻，只有他还可以开业做生意。不多几年，他竟做到了我们国里的一个很发达的印刷家。

这一课的意义是很大的，只要有一点储蓄，都可以得到那一种很大的或是平常的财富。“不拘什么小事情，不可轻视。”

现在有许多青年人觉得一定要养成省俭的习惯是很可耻的。他们不知道万有的创造者便是一个最好的榜样；他们不知道万有的创造者时时要叫他的徒弟们把什么都不要糟蹋，留作别用，所以他能不可思议地给与人们的面包与鱼肉的。惜物并不是一件不要紧，不需要的事情；他要用起来的时候，无论什么都可以得到他的得力的适当的用处的。他的一言一语，一举一动，都充满了有力的真实，真是一课很好的功课；他的功课便是要省俭，像那古语说的："不糟蹋，不缺乏。"

唉！处处克己一点，处处省一点，不容易得多了吗？不比良心上苦痛好得多了吗？不比债主不离门，又无法拿出钱来还去好得多了吗？不比日里和夜里都是心惊胆怕的，好像套在一根铁索里面，再也无可挽救的样子好得多了吗？不比做一个一点不能觉悟的动产的奴隶，时间与思想，都是属于别人的那么一副成色高明得多了吗？《穷困的李佳》里有几句说到这种情形的话是最热烈的了："宁可饿着肚皮上床，不可负债！"真的，宁可为了贫穷，忍受一点不方便，牺牲一点暂时的幸福，剥夺一点暂时的快乐，不可把自己葬送在永世不得翻身的泥坑里去，葬送掉自己的廉洁，葬送掉自己的忠信，葬送掉自己的傲骨峥嵘的丈夫气概，葬送掉自己的荣誉，葬送掉自己的人格，葬送掉自己的一只尊荣的船身在那"生活的无边的汪洋大海"旁边！

“知足的心好像是一席吃不了的盛筵”，可是，这一席盛筵却不是一个满身是债的愁眉皱脸的人所能享受的。腐化的朋友要当心它，它是要来劫夺你的气力的，它是要来堕落你的雄心的，它是要来破坏你的和平与镇静的；气力、和平、雄心、镇静，这是你的事业，你的职业，你的一切研究的成功的最重要的美德。

三〇　贩卖术

无论男女，如果懂得贩卖术，一定可以赚钱。贩卖术是一种最有价值的赚钱的方法。做一个好的男贩卖人，或是做一个好的女贩卖人，就是一个供给人们的需要的人，就是一个世界的工人。一个好的男贩卖人，或是一个好的女贩卖人，他是再不会“失业”的，最好的贩卖人时时都在打算着他的高了还要再高的赔偿的，报酬的。

“贩卖术”的意义很广。卖鞋子靴子的鞋店里的蒙了颜色绸的鼓，保险公司里的代理人与经理，做几千万几百万证券以及物品来往的大银行家与大掮客，——这些人，都是贩卖人，或者是贩卖这种商品的，或者是贩卖那种商品的，他们无一个不是世界上的交易组织里的一分子。

要做一个成功的贩卖人，起初的时候，不妨从小规模入手。譬如做保险生意，如果能够先做到一个本埠的好代理人，教出几个代理人的代理人来，后来他便可以做到本埠的一个经理了。如果他在一乡做一个经理，好，他又可以做到一州的经理；如果做到一州的经理，好，他又可做到一城的经理；如果他的组织能力真个很强，他自然用不了多少时间便可以到总公司的总办事处里面去的。如果他的一步步的上升的确是由于他的努力服务，虽然他的薪水很少，但是他能得到分红，得到分摊的酬报，两样合起来，他的进入往往比最高级的职员还要多得多了。这种的结果自然是由于他的贩卖术高明，有时候，他会成为这一个方面的一个很有魄力的人，有些别的公司，为了竞争的关系，不惜出很高的薪水把他聘了去，希望得到他的服务。不久以前，有两个公司为了一个代理人到别一家去做了，竟上法庭去打官司，原来的雇主说他已经和那位代理人订有契约，薪水全年是五万元，决不能半途背约又去帮别家。

最好的贩卖术的训练，是很值得得到的。最要紧的是要有礼貌，要老练，要能随机应变，要有方法，要有策略，要谨慎小心，要有巧妙的言词，要忠实（这个是更重要的），要有绝对不可动摇的自信力，要对于所售的商品有充分的明白、了解、有完全的认识，还要有立即结束一笔生意的能力。诚实不欺是应该特别奋力做到的，关于商品的现成的美点、好处，也应该尽量的述说。这里所说的几点，不但是一个好的贩卖人应该具有，便是一个普通人也应该如此。——如果再能加上真实与高尚的态度，干任何事业都是能够成功的。

这种的训练，要他早早便有一点根柢，早早便有一点基础，是很不容易的。一个少年人，在课余的时候，在假期中，在营业时间之外，如果随时注意这种贩卖术，或者可以得到一点经验，除此别无办法。他常常和人们接触，人们不愿意的他要设法说得他愿意、满足、相信、使他称心满意，这种的能力，雇主是无有不在注意着的，看见的。

做雇员的，事实上真不知道有千千万万都在谋事，寻职业，找位置，但我们同时看得见有许多雇主正在访求能售出货物，推销货物的人；一个贩卖人，实在不能说什么时局不对，情形不好，经济恐慌，市面不佳，货色实在是卖不出去。任何时，任何地，任何一个雇主，他从来不管什么时局，什么情形，他只是要用人来做事。

我知道在某一州，有两个店家各有一个旅行的贩卖人，售卖同样的货。在一年之中，这一个售出的货要比那一个多上五倍。他回店的时候，带来的添货单很多、很大、很长。因为他的卖货能力强、大，所以他的薪水很高。他出去卖货的时候，抱了一种希望，决心要把货色卖出去。这一个便不同了，他的薪水又小又低，只够维持他的最低限度的生活，因为他觉得处处都是很大的困难。他回到店里的时候，总说出种种卖不出去的理由来，连一张添货单也没有。那一位解决得了的困难、障碍，他都解决不了。他有时也能带一张很小的添货单回来，因为他既不能使得他的顾客不拒绝他，又不能使得他的顾客相信他，要他所有的货色。

要想在世上做一点事的人，一定要有一点“非干成不可”的力量，一定要有一点别人不能我可以的精神。

三一　组织与秩序

有一个年老的商人，他在一个内地的小城里做了好多年生意了，忽然失败了，据《密执安商人》(*Michigan Trademan*)杂志说，有一个债权人到那个地方去了，他看见那位年老的商人正在认真作他的精确的计算：

"地皮呵！我真有点不懂，我怎么竟一败至此，"他说了又说，"麦边，真的，我收租并不怎么收得很凶。"

"你的货色还不少哪。"那位债权人一面把四周一看，一面说着。

"是的，多少还有一点货色。"

"你打算在什么时候再开一个最后的财产清单呢？"

"财产清单吗？把什么都记下来吗？"

"是的。"

"再开成一张清单吗？"

“是的。”

“再把架上的灰打扫干净，地板也擦洗擦洗吗？”

“最好。”

“窗上的玻璃也要擦擦干净吗？店面也要油漆一油漆吗？”

“是的。”

“我从来不曾料理到这些事情。十五年前，有一天，我打算做这件事的，因为城里举行竞拳比赛，我竟把财产清单搁下不曾开起来了。真可怜哪，我真不明白，我怎么一败就败得这种一败涂地的地步！”

有组织的存货管理，很正确的账簿，又仔细又正确的收支对照表，无论是在大城里，是在小城里做生意，都是很重要的。一个不知道站在那里好的人，他决不能在一个地方站得很久。

大都市里的商店里的秩序、组织、先见，一定比小城市里的更完备、更通行、更有势力。

国立信托人协会（National Association of Credit Men）的会长曾经说过：“我和许多大商店、大公司的人接触，我很相信，如果店里或是公司里的一切情形、一切有关的消息，都能随时报告给他，一切的交易上的事情都让他晓得，他是很不容易失败的。”

有许多地方，货色总是乱七八糟的乱放，也没有一个管理得很好的方法，一个伙计要去找某一件东西的时候，他一定要费许多时间才能找得。有许多青年人有一种很坏的习惯，使他的一生受到很大的妨碍，就是无论做一件什么事情，都取暂时这么办一办的办法。他们无论在那里遇到一件什么事情，总说暂时这么办一办。他们所穿的衣服上面的东西，在那里解下来便随便摆在那里。他们的领子、袖子、领带，有时摆在这里，有时丢在那里。有什么事情要叫他走开了，或者是有什么事情非放一放手不可了，他们不问是在那里，登时便把手上的东西随便放下，希望过一会儿，有了时间，再来放还原处。这种青年男女，到了长大成人的时候，他们便有把什么东西东抛西摔的习惯，暂时这么办一办这个脾气，真像一个专制魔王，使他成为一个乱七八糟、毫无秩序的人了。

无论是一件什么东西，用后放还原处，并不费多少时间，并不费多少气力，过一会再来收拾，反而费时间，费气力；而且，有时候如果不登时放还原处，你会永远不来干那放还原处这件事的。无论是一件什么东西，用后放还原处，起初看来好像有点不方便；无论是一件什么事情，应该做掉它便应该立刻做掉它，起初看来好像也有一点困难；但是，这种有秩序，有规律的习惯，一经养成以后，你的力量会大大增加的，你能有千百种的好处，既能使你将来减少不少的麻烦，又能使你减却不少的懊恼。

有许多人觉得很奇怪，怎的他老是不成功，他并不知道他坐着的那只办事桌已经把他的生活告诉人了，已经使人知道他的能力是有限的了。乱七八糟的纸，不曾夹起来的信，毫无秩序的抽屉，鸽笼式的文件架上的灰尘，东一层西一层的报纸，东一封西一封的信，东一份西一份的稿子，东一张西一张的便条，又是空信壳，又是小纸条，无一不是杂乱无章的表示。

我要用一个书记，我不要什么好的介绍，我只要看一看他的办事桌、他的桌子、他的房间、他的长案、他的账台、他的书籍，便够了。在我们四周，无一不是一种明显的表示机，那怕我们要秘密，它无时不在明白的显示出我们的生活的故事来的。我们的态度，我们的步伍，我们的说话，我们的眼睛的一看，我们的体态，我们所着的衣服，我们的领子，我们的领带，我们的袖子，无一不把我们的生活故事公告于世了。我们觉得很诧异，我们的进步实在太慢了，可是，我们的这篇自传，这篇言行录，已经把我们的贫穷，我们的资格，我们的卑劣的位置，我们的一切秘密，完全说出来了。

做生意切不可时作时辍。有许多人，今天说上一大阵夸口的话，到了明天，若无其事了，一点热忱也没有了，他们实在都是些很不小心的、很懒惰的、很冷淡的人。没有一种生意是可以随随便便的做成的。只有不断的努力，永久的小心谨慎，专心一致，才能得到胜利，才能得到成功。

三二　我自己要经营商业吗?

有许多有几百万家私的大富翁，看见一个青年人有了一千元的时候，总欢喜劝他自己动手做生意。在一个有几百万家私的大富翁看起来，他的劝告实在是很自然的，可是，他的劝告是不是最好的呢?

现在是托辣司时代，是什么都要独占的时代，是什么都要垄断的时代，小店都被大店吸收去了，小资本都被大资本吞并去了，小组织都被大组织合并去了，好像小鱼都被大鱼一口吞下肚去了，越富有的越富有，越穷的越穷，任何人都应该小心谨慎，不要劝一个青年男女拿他们一点辛苦挣来的积蓄拿出来做生意。

办事的能力，坚强的意志，天赋的忍耐力，敢作敢为的勇气，不是每一个青年都具有的；换句话说，就是，如果没有这种的力量，做起生意来一定不见得能够成功，能够站得住自己的立足之地。

有许多人很冒昧的做起生意来了，真很努力，可是到处碰壁，这样看来，实在不及做一个拿薪水的人来得好。做一个拿薪水的人，用不着像那业主那样天天愁着失败，天天感着困难，天天受着麻烦，真是弄得精疲力竭的样子。

有许多人，他们在纽约的大街上以及别的城子里开着他们的像模像样的店，他们都是些拿薪水的人。他们有许多都在城里或是乡下置了很好的房子，也有自备的华丽的快艇，也有自备的高头骏马，也有自备的新式的汽车，他们的生活，他们的享受，真比一般大公司的主人舒适得多，快活得多。

单单纽约一城，计算起来，每年的薪水上二万五千元的，有二千人。

在现在这种时候，要想独立去做某一种的生意，是很危险的。现在的趋势是什么生意都集中了。在一年之中，不知道有几十家小资本的铺子倒了，关了门了。在大都市里，大城子里，有许多小店的影子都没有了，因为差不多都给大公司吞并去了。试看一看那些规模很大的百货商店，个人用的，家庭方面用的，你随便走进那一家去，你要什么都可以在一家买得完全。

单拿百货商店里的卖书部和卖药部看一看罢。业主只不过在公司里面设上两个很小的部分；他们又不用编印许多书籍，又不用像书店里那么各色各样的书都要备上许多，他们的地方又很干净，又很简单；他们看见什么书籍杂志是最销行的，他们可以自由的去拣选来代卖；他们只是一个小小的部分，又用不着像那大书店，又要什么经理，又要许多伙计；他们卖的价钱又可以比出版家低廉，因为出版家要多多出书，每一种书又要多多的印，有时候，一种书又卖不了多少部，出版家的利益实在少得多了。还有，百货商店里的一个部门的房租是很低的，关于街上店面方面的开销也是没有的，又用不着许多主任、伙计，只要一个管理人便够了。卖药部的情形也一样，其他的部分也相同。我们的大城里的小店，有许多是家庭商店，或是一个母亲带着几个孩子帮着她做一个小店，可怜结果都给这种大店一口生吞下肚去了。

几年前，纽约有一个商人专卖从英国制造的登特

（Dent）手套。他单卖这一样货品，生意很发达。后来，纽约有一个大铺子的主人跑到登特工厂把他们的全部出产一齐包了来总经售，结果，把那位小商人打倒了。这种的例实在用不着再多举了；在大都市里，大城子里的人，这种大公司吞并小商店的很明显的趋势，他们天天都可以亲眼看见的。

因为这个理由，所以我对于一个青年人，总不敢贸贸然的劝他自己动手去做某一行生意，因为这种什么都在集中的情形，实在是一天一天的在加甚、加强。

现在的广告费用又很浩大，什么商品都用广告告诉上门了；有的商店里的一天的广告费要比许多青年人的全部积蓄还要多得多；百货商店里的整饰橱窗，惹起顾客注意的人，勾心斗角的设种种方法吸引过路者的人，他们的薪水都是很高的；富有艺术的走廊、休息室、菜馆、旅馆、音乐队、百货商店里，为了顾客的利益，都有很好的设备；试问一个青年人，只有三千或五千元，在一个大城里，差不多只可以在百货商店的角上、旁边，或是屋檐下面，开上一个小小的铺子，有成功的希望吗？

让一个打算开业的青年人在事前把什么都看一个仔细，把机会很小心的估量一估量。如果他想开店，最好让他先把百货商店仔细研究一番；最好让他有一个机会去同那些百货商店的负责人谈谈，也许同他谈谈的那位先生便是以前也曾开过小店，被百货商店挤倒了，现在来帮百货商店里做一个雇员了，这是大家都知道的，大商店里的用人往往有几千几万人，这些人，大半都是些自己开小店开失败了的，都是些经不住这种现代的剧烈的竞争的人。

我不是有意要来打断许多要开工厂要开商店的青年人的兴头，有意要他们失望；恰恰相反，只要不很冒大险，只要时地都有可能的话，我却是一个赞成男女青年开店开工厂的人；不过明明看见一片汪洋的商业海中，有许多不幸的冒险者，翻了他们的船，淹在水里了，这里又是如山的乱石，那里又是险峻的危滩，我怎么能够不要人小心留意呢。

一个青年人，无论要干一件什么可能的事情，这里有种种的理由，他是绝对的应该在事先要打算一番，计划一下的；这是自然的，一个青年人，往往要努力提高自己的身份，要放出他的精神来干一番事业，要希望自立，独立，往往不甘心做一个拿薪水的人。凡是自己做一种生意的人，他的胸怀总比较的广阔，眼光也比较的远大。收支不能适合，要挣扎，努力，使他出入相敷；危机与难关来了，要用心用力使他渡过；时局太坏，不景气的时候到了，要避免失败；要经常的奋力图存，免于生存竞争的淘汰；要时刻小心谨慎；要有一往无前的决心；既不能随便制造商品，又不能有一点欺骗的意味，也不能随意花费种种的用途——这种种都是可以增高身份的努力。

商业实在是一个大教育家。只有经商能使人有先见之明，有自足之力。一个独立做生意的人，他不能依赖他人。他也不能浪费脚力，走上义路。他一定要有特立的精神，要自己靠自己，要自己维持自己，否则他只有再去做那原来的下属的位置。

永远帮人的人，永远替人服务的人，在许多例子上看来，往往很容易创伤他自己的能力。无论男女，在种种的束缚之下，往往不能得到正常的发展。只有自由可以使一朵好花大开、盛开，开得异常美丽。行动自由，思想自由，言论自由，是一切进步的最重要的原则。

一个替人做工的人，除非他有特别的天赋，他至多只能拿出他的一部分的气力来活用。他对于生意的进展，用不着他来研究、思想、计划。到了夜里，他离开了办事间，离开了店，便不用他注意什么了，他的责任已经完了，只要第二天又去照常做事好了。店里的经济上的事情，财政上的事情，一点也无须他麻烦。他有满身的才干，也用他不着，再也拿不出来用；他也不用注意到什么好机会，要把他乘住，所以这种的艺术，他也不必学习，研究；总而言之，他的见解、思想、忍耐力、辨别力、判断力、创造力，办事的才干，都无须练习，无须进步，也永无进步。

我并不是觉得有天大的机会可以赚大把的白花花的银子，可以大发其财，又来劝青年人要自己开店，因为做这一个工作，可以叫人懂得人要怎么做的道理，可以叫人有很大的进步。你从来不曾见过一个替人家做了几年伙计的人，从来不曾展开他的能力，从来不曾有多大的进步，他自己去开店了，他的进步很快，能力也大大的展开了吗？

如果一个青年人，有一点小资本，或者是自己连一点资本也没有，他动手做起生意来了，那么，他非练习练习他的判断力不可了，他非拿出他的办事能力来不可了，他也非打起精神来做那未雨绸缪的工夫不可了。他的才干自然要拿出来留心注意了。他的本领也一定要全拿出来用在那有最好的效果方面去了。

事实上，这一个最大的学校的生活，实在超过专门学校，超过大学，如果懈怠一下，不继续努力奋斗，简直是不能立足的，不能出人头地的。这里是一个培植力量的地方，这里也是一个产生人物的地方。

只有一点小资本便动手做生意的青年人也有好处：资本越小的人，他对于机会越注意，他总无时无刻不在希望得到一个好机会，可以使他的营业发达，可以使他的小资本渐渐加大、加多，他总时时觉得资本太小了，怕要亏掉了，亏光了。他的精力，他的勇往直前的精神，他的决心，无一不在向前迈进，他觉得成功还在未定之天，他的一点小资本上面的力量是很大的，他的这一点小资本不是一个有几百万家当的大富翁能够得到的。

照例，一个青年人做起自己的生意来的时候，他的一块钱一定要用得很有效能，很有效力。好像一个兵士在战场上的时候，他的子弹已经不多，无疑的，他在瞄准的时候一定要异常注意了，一定要发出一颗便要他打中的。一个青年人在这种时候，一块洋钱怎么不要当作十块用呢。

而且，一个自己肯帮助自己的人，什么人都愿意帮助他。大家看见他肯努力挣扎、奋斗，自然是很尊敬他的，不但自身要去做成他的生意，连朋友也要介绍去的，大家又都要替他广告的；这样，如果一个青年确是一个有成功的希望的人，如果是一个无人不知的有点才干的人，如果他又会做生意，如果他又是一个买过不少东西的颇有购买经验的人，如果他又是一个精明的计算者，如果他又忠实，又勤劳，做的事情又对，便是他时常要遇到一点困难的事情，便是他的资本很少，他的成功的机会实在已经差不多握在手里了。

三三　开手便借资本做生意

你说，如果你可以借得一点资本，你可以做很有利益的生意。现在，事实是这样的，无论你干一件什么事业，你都不能成功，便算你已经把资本借来了。一个少年人，或是一个青年人，靠借来的资本开手做生意，可以成功，这是很稀有的事情。事实上，一个初开手做生意的青年人，对于他的不曾历练过的经验有一种自信，要想免掉金钱的压迫，是很难的。如果你开手做了生意以后，你有了能力，可以成功了，你要借钱来发展你的营业，那自然是另外一件事情。你的能力已经有很好的证明书，你的信用也已经很好，资本自然相信你了。

来一个譬喻罢，你向他借钱的人，他首先便不信你知道怎么选用雇员，知道怎么操纵运用他们。一个干某一个行业干得成功的人，他第一要靠着懂得那一个行业里面的仔细的情形，第二要靠他有一种知道怎么选择他的助手的能力。忠实自然是一切成功的必要条件，可是，这一个条件还是不够的。世界上的诚实君子很多，他们宁可把双手剁去，他们再也不肯偷一块洋钱，但他们却是一些连一点行政的能力、办事的才干都没有的人。

你要自己做生意，不要存大希望，要规模越小越好。如果你的能力不小，你的才干也显示出来了，你的生意已经做发达了，你能筹划运用得很有效果了，如果你需要借资本来发展营业，你并不会感着多大的困难的。

“避免借债要像避开魔鬼一样”，这是毕拆（Beecher）对他的儿子的一个劝告。下一个决心，不要为了你的用场，让你的名字写在一个什么别的人的账簿上面。

《穷困的李佳》的哲学，归纳起来，便是下面一句简洁的话：“一个借债的人便是一个寻苦恼的人。”这是许多案子的最真实的一种证明。当然的，一般自己并无错误的人，为事实所逼，不得不借债的人，不能要这样的说法。出乎意料之外的灾难以及不幸的事件，把握得稳的很明显的生利的事业偶尔遇到特种的难关与境地，便是一个一生谨慎的人，一个有觉悟的人，一个看见负债便要失色的人，也没有其他的办法，便是从保守的立场看来，只要借得到手，也是应该借钱的。当这种时候，不用害怕了，不用避免向银行透支了，因为总不能不有一个办法。他们只有遵从着清静教的牧师马得（Cotton Mather）告诫他的门徒的话了："借债的时候，要像乌龟走的那样慢；还债的时候，要像老鹰飞的那样快。"

做生意的时候，也一样，有时非放账出去不可，有时非借款进来不可，因为不如此便不能得到很好的效果；虽然为了社会的关系，这种的借贷比较的稳妥，但是也不能不有相当的限制。

不过，一个青年人，一经走上了他的生活的康庄大道的时候，如果他要希望着他的成功和他的能力与雄心相称，对于借债这件事情，最好要放出预防恶病的传染的工夫来；如果他的理想太高，他的眼睛只看着那最高峰，他应该一字一字的牢牢的服从着使徒的告诫："不要欠人一点东西。"

为了借债的事，无须订定合同的时候订定了合同，应该小心订立契约的时候又很不小心的订立了契约，往往使青年人受着很大的耻辱，经着老大的失败，道德上以及身心上都受了莫大的损失。借债这种漩涡，不知道做了多少千千万万的有才干的、有雄心的人们的坟墓。这些人，如果初进社会的时候不曾染上下等的恶德，不曾养成浮华的习气，又不曾东拉西扯的向他的朋友借上一些不必要的款子来满足他们的一时的快意，又不曾随随便便的，并无明断的计算，他们在他们的园地里，委实都是些能够到达他们的光荣的目的地的人。虽然借来的数目很微细，好像是一件小事，但既开了引诱借债的门路，不知不觉的，有时便渐渐的堕入万丈深渊的地狱里面去，不以为可怕了。

刀和枪杀死的人有千千万万，高利贷杀死的人却不知道是几十个千千万万。当代有二十个很有才能的爱儿，其中有七个：一个是小说家，一个是才子，两个是法学家，两个是政治家，一个是大演说家，他们都不幸做了债中的死鬼。

有很好的人格的斯蒂芬孙（Robert Louis Stevenson），他述说他的理想的完全无缺的生活的时候，——像他那样一个最值得做一个好榜样的人，可以教人的人。——

他也特别注重一点，再三再四的说，任何人都要做到量入为出的地步，万不要负债。“要忠实，要亲爱，”他说道，“要用钱的时候，要比赚进来的少一点。一个家庭，一定要保持得住其乐也融融的情景。不要怀恨，不得不割舍的时候，只有弃绝。交几个朋友，不能有什么投顺的约款。如果有什么严肃凶恶的条件，不如只同自身做做朋友。——这是一个不屈不挠，温文尔雅的人的一个工作。”

如果一个人愿意照着这种完美健全的生活条件做去，他第一不能负债，否则他只有完全失败。“多赚一点，少用一点，这个教训，”喜勒斯博士（Dr.Newell Dwight Hillis）说，“是一条很有力的法律，它是一种要你避免危险，不要做一个损人格的负债者的警告。我们这个时代，要小心的事，实在很多，但是没有一件比得上这一件更应当小心了，要处处简朴点，要服从《穷困的李佳》的法则：‘你去罢，不要怕花钱。’”

青年人往往掀不起帷幕来看一看未来的情形，往往掀起来了又看不见一步步的满地都是荆棘，所以他们对于借债，总很愿意。如果他们看得见人格的降低，如果他们看得见要扯谎说假话，如果他们看得见要作弊，如果他们看得见要不忠实地托辞来避免到期不能还人的借款，——如果他们平时有得用的时候用去了也罢了，却是他们第一次向人借来的第一块洋钱，为了满足个人暂时的奢华阔气的款子。——他们真个要纷乱不堪了；如果他再能看见那种使他日不能安，夜不能寝的狞笑，如果他们再能把那自己带上去的枷锁镣铐用死力也推不开，搡不掉，解不下，拿不去的情形一想，他们一定要吓退了，失色了；他们一定要觉得宁可苦一点好了，宁可受一点罪，绝对不能再做一个面目狰狞的管监者——债主——的奴才了。

现在世界上的第一种该诅咒的苦难便是借债。只有那些想得到那种苛逼勒索的情形的人，只有那些受过这种说不出的苦痛与烦恼的人，才能知道，才能明白借债这件事情，对于人生，真是一种最能戕贼生机，使人憔悴，使人干枯，使人萎缩，使人瘦削的恶势力，也是最能挫折人的雄心，毁灭人的志气的，甚至，连一点最重要的人味儿——希望——也都给高筑起来的债台断送得干干净净了。

三四　机智

一个做生意做得成功的人，干一种职业干得成功的人，他必须有一种乐观的态度，必须要能得到他的同侪朋辈的信任，也必须要交得几个固定的朋友。好朋友，只要有机会，他一定要说我们的书是做得很好的，我们的商品，我们的货物，无一样不是做得很好的；便是为了打官司上公堂，案子判决以后，他也要表示异常高兴，要把案子娓娓的对人述说的；只要我们替人医好了病，他也一定要到处去告诉人的；只要有人在背后诽谤我们的名字，他也是要出来不答应的；只要有什么人对于我们起了恶意，他也要跑去责备他们的。没有一点机智的人，要想交得这种很好的朋友，这样卫护你，保全你，那是不可能的。

有许多人最欢喜用作对的办法叫人气恼，叫人动怒；又最喜欢说纤巧的话；又最喜欢在背后嘲笑、指摘，不放明枪，专施暗箭，真使人讨厌。

又野蛮又钝拙的人，开口便是充满了兽性的气味，这种人的自身是很苦恼的，真有说不出的苦痛，也不知道失掉了多少朋友。真实确是一件宝贝，在一个没有一点机智的人身上，已经一变而为一件最危险的武器了。因为有许多实在的事情，真无须完全说出来，偏要说得使人讨厌、可恶。他如果有许多朋友，有许多个性很强的朋友，他应该要练习练习，练得有一点机智，不要让真实开罪于人，因为便是一件理想的令人讨厌的事情，有许多人是很难把它忘去的。骄傲，说自己有能力、有才干，这是一种最无味的常会触犯别人的态度。

我们当中，有许多人不免有短处、弱点、缺憾、苦处，但我们无时无刻不在用力遮盖、隐瞒。或者是脸上有一点什么丑处，或者是没有机会受过很好的教育，或者是态度粗俗，但他们无论在那里，都不愿撕开，不愿做出不高兴的样子，不愿公告于世；但我们觉得很可恨，有许多人并不顾到友情，专开玩笑，有时使得朋友看见他的影子便很害怕。

世上有一种最不幸的人，他生来没有一点机智，又欢喜开开玩笑，每开一次玩笑便失掉一个朋友。他开罪了朋友，失掉了朋友，他还不改他的故态，还是要时时开开他的无意思的自以为好的玩笑的。诙谐家、滑稽家，要交得住朋友，最好要少开玩笑，最好要开得不唐突、不鲁莽、不过分。

拿教育与书本子上的知识来比起那日常要应用它来解决生活上的困难的机智来，前者的价值比较后者低微得多了。一个推销员走上街去，如果他没有一点机智，他卖不掉一点东西。一个商人如果没有一点机智，他不但拉不住顾客，反而把顾客赶走了。在银行里，机智比较资本还重要。一个律师，不管是对于当事人，对于出庭去辩论他的案件，如果没有一点机智，他一定要失败的。至于一个医生对于他的病人，比什么人都要分外的靠着机智了。雇主与雇员之间的关系，更要时时用一点机智。有一点机智的管理，可以避免损失很大的罢工。机智的用处真是千变万化，为用无穷。

三五　获得人们信任的艺术

一个青年人，要想在世上露一露头角，要想出人头地，如果他能够很快速地获得了得到人们的信任的这种艺术，永久保持不失，他可以说是已经得到一件无价之宝了。有这种艺术的人是很少的。我们当中，有许多人，往往去在我们的成功之路上抛上了许多障碍物。或者是态度不好，或者是没有一点机智，或者是由于他们的为人的气味不很好，我们原来倒是欢喜和他们接近的，却一变而为不以他们为然了，甚至和他们作对起来。

有许多人实在应该把那由于第一次的不好的印象所产生出来的一种成见努力破除掉，要渐渐的做到无论遇见一个什么人，要有一种毫不费力的一见如故的态度。

成功往往不由于本领很大，却由于亲切的态度，以及那惹人爱、惹人喜欢的气味。

举例说罢，并不是当教师的对于个个学生都知道，所以他说某一个学生比某一些学生有希望，能成功，只是因为那一个学生懂得她的机智，对她的机智发生兴味，接受她的指导。一个售货员，也不是由于他对于生意经络样样都懂，由于他的态度是很神气活然的，所以他的雇主觉得他是一个难得的伙计，只是因为他懂得一种讨人欢喜的艺术。

我们生来都有一点脾气，只要气味相投，只要我们心里欢喜，便是把那已经决定的事稍加改动，也是可以做得到的。譬如说，有一个书商时常想种种的方法来接近你，你的心里有时未免也有一点不高兴他。但是，要是那个推销员是一个性格很好的人，使你的心里一下子有点高兴的样子，他会把他正在检点着的书卖了出去，虽然顾客心里委实并不打算要买他的。“我实在用不着这部书，”后来你真会听见那位顾客这样说的，“不过那位朋友实在和气，太有礼了，太恳切了，所以他要我买，我真不好意思不买他的了。”

获得人们的好意，获得人们的信任，这种艺术，在许多例子上看来，真是一种很自然的礼物，在人生的过程中，有许多很好的事情，只要是出于至诚地去寻求、访求、追求，往往终能得到。

第一步要对于一种永远不变的乐观的天性——如果你没有的话——要有一点修养。一张聪明伶俐，笑逐颜开的脸，可以系住人心，可以牵着人的耳朵，不问你有没有历书上所说的那种美德；一种哭丧着脸的面貌终是一种很大的障碍。

还要有一点热烈的同情心，人家忧愁，你不能高兴；人家高兴，你不能忧愁。你要人家对于你怎么样，你对于人家也应该怎么样。

遇见相识的时候，遇见朋友的时候，不要滔滔不绝的把你自身的事情，自身的历史，说进他们的不愿意听的耳朵里去。你不如只听他们怎么说，然后再诚心诚意的互相谈论情感、希望、畏惧，以及计议。这种的态度自然不是怕你要吃亏，也不是主张最好要多一个专门听话的人，——这个是毫无关系的——只是要显出一种处处要虚心的态度来，因为，虚心产生出来的同情却是人们求之不得的。

待人要像弟兄一样，真的，有许多地方，你要白白的空费一点亲爱之情，你的身体上的所得要也比所失少得多，但你造成了一种欢乐的空气，发生了一种友朋的情感，你已叫人难忘了。

总而言之，你的努力，要坚定，要不变，否则你不会有多大的成功。切不可今天是很和气的，很高兴的，明天又使性子，变做很鲁莽的样子了；今天是很能经得住痛苦的，明天又完全变了一副情形了。一个可靠的结实的人，决不是时常在变的，这一点万不能轻视。如果一个人有了变动莫测、毫无主见的名誉，什么人都不会相信他的。

三六　什么是信用的基础？

许多青年人在他们自己开业做生意的时候，他们完全弄错了，他们以为经济上的信用基础完全是在财产上面，完全是在资本上面。他们对于人品好不好，靠得住靠不住，做生意玲珑不玲珑，做工作肯吃苦不肯吃苦，从来不明白，从来不感觉到这种种的资产比什么都重要，比没有这种种精神而单有几百万洋钱还重要得多。

要多得肯帮助你的熟人，要交得肯帮助你的朋友，任何人都应该养成一种很好的名誉，他是一个很好的商人，他很会做生意，他什么都像一个生意人的样子，他很靠得住，他很爽快、敏捷，什么事情都能够很神速地决断下来。

银行家对于什么事情的决定是很神速的，并且很纯熟。借贷的机关对于承袭着很多的财产的人，品格可疑的人，往往不能信任。照一般的例看来，一个青年人自身开业做生意的时候，如果规模很小，比起那些有很大的资本的人来，往往分外的认真，分外的肯苦做，分外的注意着四面八方，分外的能够很神速地乘住市面上的机会，分外的有礼貌，分外的甘心愿意。

借贷机关里的负信用放款的责任的人，是很灵敏快捷的，他把借款人的前途的成败比较的看得清楚，他的估计往往是不很错误的，他往往能够根据信用把款子平平安安的放将出去，收了回来。

一个青年人如果知道人格即是资本，他欠人一元债，即是由于他的为人典质来的，往往是成功者。

萨奇（Russell Sage）说："成功的秘诀在于做出很好的信用来。"

要得到人们的信任，一定要费多少年的时间的苦功才能做到把个人的能为大大的施展开来。

我曾要求过格麟先生（Mr. John Greene），《斜街》杂志的主笔，给我一点关于信用的基础的意见。这里是他所说的三点：

他第一应该修成一种名誉，他是一个一丝不苟的人，他是一个没有什么大缺点的人，他本身便是一张契约，他的一句话等于一张保证。没有这一种名誉，不管他对于做生意是怎样的认真，他的生意始终是做不好的。这是一个基本的基本的条件，这个条件不能有一点欠缺。

第二，一个青年商人要得到信用，一定要使人知道他对于他所做的那一个行业确有见地，确能有所成就，确很适当。如果大家都说他的确是一个有能力的，像他那样一个人，到了时机，他一定有一个经济活动的地位，自然很好；但最好的，还要叫人知道在某一特种方面，他更有特别能力。这个时代，早已说过，是一个专家时代，分工已经很细密，往往拿出全力来还是不够的。在长途的竞赛场中，得到成功的机会，往往不是一个什么都懂一点的人，什么都会一点的人，乃是一个对于某一件特别的事情，他比任何人都做得好得多的人。

这种的成功者，他在“银行”方面比较的有信用，一定能够作为一种特别的例外的，在同样的情形之下，对于他，可以另眼相看。

一个急于要成功的青年商人还有一种很重要的资本，便是他个人的习惯。普通一般人都不很懂得，一个商人的习惯是很有斤两的一点，好便可以成事，坏便不能。有许多人已经有了相当的成就，因为他的习惯令人可疑，变成了很大的阻碍。这种弱点的存在，自己有时候并不知道，别人也不很晓得，但是在那些有信用上的来往的人的眼里，无时不是在注意着的。这是一件无可疑的事，人格是习惯渐渐的培养起来的。有许多青年人，本来的习惯很好，但他后来忽然染了一种很成问题的意向，他渐渐的懵懂了，有所蔽了，毫无用处了。起初的时候，他的放纵的习惯往往是可以隐藏的，遮瞒的，所以危险性更大。

初看起来，习惯只不过是怎么样保全自己的一个态度，但是，到了后来，保全不住了，做了放纵放肆的牺牲者了，他说道，“怎么时常去做一做便养成了一种不可更改的习惯了”，可是已经迟了。一个有雄心的希望成功的青年，为了他的前途计，他应该下一个很好的决心，要对于那些由于不规则而来的第一次的不正当的引诱极力避免，也不可去做那花天酒地的勾当，也不可犯赌钱的毛病，也不可营私舞弊，把缓急需要的保证金都抽出来乱花乱用，也不要去谈那一匹马跑得最好，这个比什么都重要。一个生意人要找一点娱乐，应该循规蹈矩，有一种庄重的态度。否则顾全不住信用，也不能成功，而且精神用在相反的方面去，是一定要陷进危险的境地里去的。商业上的失败的原因，仔细考察起来，研究起来，大多数是由于有一种可疑的，有问题的习惯。

克拉克先生（Mr. Charles F.Clark），《斜街》杂志社的社长，我去请问他对于这个问题的意见的时候，他如下写道：

社会组织的基础完全建筑在信用上面。古代的人，有千千万万对于他们的朋侪是很有信用的，否则我们不会有文化；现代的人，也有许多对于人的信用是很好的，否则我们决不能有进步。这是一种显而易见的真理，但四十年来，我仔细把我国的商人的事业干得一败涂地、不可收拾的原因研究起来，却完全是由于他们对于信用的重要性并不曾有彻底的明白与了解。现在还有许多人对于取得别人的信用这一点还是不很留心在意，再不肯拿出他们的全副力量、全副精神来向着这个方面去修养，这种人，大难临头的时候可以说是就在不远的将来。我很愿意坚决的告诉每一个商业青年，你的唯一的日常工作应该是怎么样巩固你的信用。一味在心里想着把信用做好是无用的。要一面立志把信用做好，一面拿气力干出事实来取得信用。他一定要证明他的力量是可以实现他的意志的，实现得很有成功的效果的地步的，可以尽他的生意上的责任的。这样看起来，信用的基础也建筑在高尚的人格和特别的能力上面。一个青年人，初做事业，他不能希望立刻便有信用，立刻便能在经济上有很大的活动的力量，使他的事业大有进展；但他不妨先养成一种好的人品，好的人格，争得商业上的信用，结果，他是可以成为一个比较的成功的商人的。《斜街》杂志的访员去采访关于某一个个人的消息的时候，他们不很要认识他们的营业是怎么样的扩充，也不很要知道他们的收入究竟是多少。这几点固然很重要，但还不是整个的，不是全面的。他们要特别注意的是那一个个人的进步，他的人格，他的最近的习惯以及他的过去的记录。

青年人往往不明白，有许多人在注意着他们的事业的时候，专注意着的是他们的小事情，因为，小事情给予人们的印象却是很大的。

一个向人借钱的人，到期还不出，要过几天再说，或者是口头上说一说便算了，一个很成功的商人对于这种青年人的商业能力登时便会有一种不以为然的成见了。

在一个青年人思想起来，两三天有什么关系呢，横竖大富翁是相信他诚实的；可是，在信用上，大不同了，有一个信用好不好的问题来了。

又有许多青年人对于银行方面很不小心。他们的存款不够了，时常去透支，付款又不敏捷，打出去的支票又到期不能照兑。他们做人委实是很诚实的，可是，太不小心了。他们没有组织，不像是做生意的样子，结果，信用完全失掉了。

好商人是很敏捷的，他们从来不因循。敏捷是他们唯一的长处，唯一的方法，唯一的原则。他们从来不爽约，票子是立刻兑现的，因为做生意上的事情不能没有一种小心谨慎的习惯，否则信用是保不住要毁掉的。

除掉诚实是人们做出信用来的一个重要的条件以外，最要紧的便是敏捷与准确了。资本的胆子是很小的，很懦弱的；又不可靠，又不敏捷，方法又是糊糊涂涂的，一个人的信用，一会儿便会完了。

做生意的人对于生意上有来往的人并没有多少时间

拿来看守着他，注意着他。他们只要同那些可以放心，又靠得住的人们打交道。

要把一个人的信用断送掉并不需多少时间。不问多少年来，他是一个怎样的小心谨慎的人，是一个怎样的诚实可靠的人，只要一不小心，偶尔忘记了，或是用了一用随随便便的方法，他的诚实可靠的名誉一会儿便会毁损了。

三七　别人的脑

一个青年人走进商界里去，如果不练习练习交着几个好朋友，几个适当的朋友，几个有相助为理的力量的人，他是绝对不能成功的。

卡内基先生（Mr. Carnegie）有一次替他自己的未来的坟墓上的墓碑拟了一个专用的墓志铭如下：

> 这里的长眠者，他生平最能四面八方的去访求那些比他特别聪明的人。
>
> ——卡内基

有许多人真个都已经到达了成功之境了，因为他们有一种能力，可以把许多很精明能干的人一齐找来共事。美国人对于观察人，估量人，这一点好像有一种老天特别赋予的天才。

任何人都做不了一种大企业的领袖人物，都做不了一种大事业的负责人物，除非他识人，有知人之明，能把他们的尺寸量一量，斤两称一称，才干估一估，再给他们一个最有发展的机会的地位。

一个银行家，一个兼营几种大企业的尽人皆知的领袖人物，曾经告诉过著者，他的成功完全靠着他有一种知人善任的本能。他说他只要择出一个人来去担当某一个责任重大的位置，他从来不曾闯出什么特大错误来，因为他要他明白，这是他的一个一生的名誉所系的机会，而且也很郑重的对他声明，事业的成功与失败完全在他一人身上。他又说是在他一经选定以后，给了他一个位置以后，他便从来不要费什么气力去监督他、管理他了，结果都是非常满意的。

但是，知人善任这件事却不是人人都会的。有许多干大事的人，完全失败了，不是因为他们不肯努力工作，乃是因为他们不识人，不知人；他们并不曾把人性观察得很正确。他们往往叫这一个去当一个一部的部长，叫那一个去做一个责任重大的位置，而那些人却是些既没有一点办事能力的，又不是一些领袖的人才。

这并不是一个呆例，一个人既能把这一件事做得很好，他便连什么事都能做得成功。许多人都弄错了，因为他能写成一部书，因为他会做上几篇皇皇大文，便以为他也会管理人。这完全是两件事，完全是两途的，普通是再做不到的。一个领袖人物一定有一种安排一切的能力，知道从什么地方下手、着手；他一定也是一个很好的组织者；他一定又有一种精密的计划；他一定又是能够依着纲领工作的；否则什么都是乱糟糟的，紊乱无绪了。

许多商人的营业一落千丈了，他们很想在各部的不适宜的人身上去加上许多工作，他们再不知道他们实在还不知道怎么样才能择得一个很适当的人。一个真有发号施令的能力的人，从来不为什么琐琐碎碎的事情烦恼的。他知道拟出一个次序单来，拣出人来分头去干成功。真的，一个商店的负责人专门在许多小枝小节上做工夫，确是一个很大的弱点。这个无非是表示他没有一点选择得出有管理能力的人的才干。

有许多大企业的经理与部长，他在办事间里的时间是很少的；他们，或者是旅行去了，或者是打高尔夫球去了，但他们的生意还像自鸣钟一样在走着，只不过因为他们会择人，择得到那些把工作交给他便能做得很好的人。

择得一个和自己一样的人，等于加了双倍的力量；再能多择得几个，择得那些上进的机会远不如自身而能力却在我们之上的人，真是一种很大的艺术。

那些在一个大企业的业主下面的人，在一个也能干成大事业的商店的店主下面的人，或者是有过同事的机会的人，其中有许多是很有真实的才干的，他们的才干也许在业主店主之上，时机一到，他们往往能够走向前去，超越过他们的。

事实上，真有许多人再没有一个机会可以试一试他们的能力，试一试他们的身手。有许多少年人，谋得一个位置了；如果有相当的进步，相当的满意，特别是那些要负担家用的人，他们往往不肯奋斗了，不肯来一点雄心，照店主那样干一干了，但他们心里又无时不在思想着，如果真的干起来，他们的力量是足够的。

当紧急关头，什么重大要紧的事情都一齐压上头来，往往可以使人的能力有很大的进步。

国内的政治上起了很大的变动了，内乱暴发了，人民没有地方走，在这种非常严重的事变之下，自有伟人应时而生：一个林肯（Lincoln），一个格兰特（Grant），一个法刺加特（Farragvt），一个锡尔曼（Sherman），一个利（Lee），自然挺身而出，来应付这种非常的事变；但在太平的时候，时势又不怎么严重，也没有什么非常的事变，也没有什么国难，这些大有魄力的权威者，明明也在我们当中一样的生存着，但他们再也干不出一番惊天动地的丰功伟业来的。

所以，在今日，我们国内有许多位置，还是无名的，还是大众所不注意的，却有一种伟大人物在睡着，只要非常事变发生的时候，他一切都已经准备好了，他会一跃而起的；但是，到了非常的事变平定以后，他们又不为人所晓了，连他们自己好像也不把他当作一回什么事了。

某一方面的过去的领袖、人物，他知道某种情势是一定要到来的，他对于某一个个人的责任，存了莫大的希望。世上再没有一件什么别的事情能比得上有这一种觉悟的心理那样更能叫一个有才能的人肯拿出他的全身的气力来的了。

一个被人安置在某一个部门上、某一个机关上的人，什么都信赖他，什么责任都在他身上，他无时不觉得他的名誉实在是在危险的境地里，他一定要努力做到如那安置他的人的期望的。只要是他身上所有的能力，他无有不尽量拿出来的。但是，反过来说，如果他对于那个位置，自己是知道不能胜任的，而那位要去当他那个责任的又时时要来干涉他，和他冲突，如果他又觉得那位要他负责的却又并不希望着他成就一件大事，只不过是叫他做上一点机械的苦役，这是一定的，他无论如何也不肯拿出他的全身的气力来的了，因为他知道，成功或是失败，实在是系在他身上。

三八　你为什么需要帮助?

我们到处听得见有人在叫着困难、困难，要找着一个得力的、合意的雇员，真很困难。个人以及社会团体都在争论着这个问题。日报上，杂志上，有许多长篇大论的文字，都在讨论他们的各种各样的意见，但多数是一致的，在现在这种时候，要找得一个好佣人，一个好伙计，一个好打字员，或者是一个随便做什么工作的人，比以前难多了。我们却不很容易听得见雇主的言论与批评。不合意的人是轻易不肯拿这种题目写成文章送到日报或杂志上面去的。他们宁可做出一种无足重轻的样子来，宁可自居于无用的地位，宁可严正一点，宁可说说大话，宁可不合理，宁可不高兴，他们是不怕什么责备与批评的。他们在一天之内，不到十五分钟便要发一次脾气，他们欢喜拣着随便那一个苦恼的雇员骂上一顿便骂上一顿，也不许雇员回嘴、抗议、申辩、诉说。但做雇员的如果也因为实在不能忍受的原故，也发起脾气来的话，只要把真情告诉了雇主，那么，他只有两条路，要便是被雇主大大的申斥一顿，要便是把生意都歇掉。一个月只能得到十元至五十元的施与，他却应该把他所有的最好的血汗完全拿将出来，——他的精力，他的热忱，他的心力与身力。他的正常的为了健康的休息，他的自修的机会，他的上进的欲望，甚至，他的家庭，为了雇主的利益，好像都非要牺牲得干净不可。

这真是一件天大的诧异的事情，靠着不人道的待遇以及一点些微的酬报，做雇主的，要换回来的，又是什么敏捷，又是什么亲爱，又是什么精力，又是什么机智，又是什么技巧，又是什么愉快，又是什么称心满意。他们希望着，一星期给上一点下劣而无价值的大洋钱，给上一千元的人格，他们便要把那些不幸而无多大的求教育的人们的高尚宏伟的天性一齐购买他一个完全无缺。

多年的雇主经验已经使著者知道雇员方面倒没有多大的不同，雇主方面却有许多是不一样的。一个好的雇主却知道某一个男子或某一个女子是有天赋的才能的。

因为他自身很好，所以他很能使他下面的人放出他们的功夫来。我们自身也有时要受到外来的反应的；在世上，什么都是怎么来怎么去，怎么去怎么来的。如果我们要笑人，人自然也要笑我们；如果我们要对人显出怒容来，要批评人，要对什么都要去吹毛求疵，要对人不高不兴的，我们得到的也自然是一般无二的。所以，我们的雇员也一样，在某种的待遇之下也一定是要惹起反感的。

真的，有许多雇员，对于他们的义务委实不曾尽责，但是，在有些事情上面看来，却有一些很有意思的事实，有许多人在这一个店里做起来，真像一根“无用的司特克”，一换到别的店里去，他却是一个什么缺点都没有的人了，什么事情都是做得很好的人了。我很费了不少的辛苦去注意着那些歇掉了生意的人，或者是由于有种种的不适宜的证据，或者是由于脾气很大，不听命令，时常犯上，但是，我觉得异常奇怪，他们换到一个新雇主那里去，做的位置还要高，负的责任还要重，而他们做得很好。他们换了一种环境，他们成功了，却不是因为以前歇过生意，已经受过事实的教训，学了一课辛酸苦辣的功课了，乃是因为新雇主对于他们的待遇态度大不相同。旧雇主始终不信任他们，存心又很卑劣，待遇又很严厉，专责备他们的坏处、错处。新雇主却相信他们，尊重他们，对他们很亲爱，处处要关顾着他们，只依靠着他们所有的好处、长处。

真不知道有多少雇主，或者是因为没有一点用出人的长处与好处来的机智，或者是因为有那卑劣而残忍的怪癖，把他们的雇员的服务之花真像风刀霜剑般摧残毁灭了。

同样的工作，一种是用机械的方式去做的，做完了便算了，毫无趣味，死气沉沉的；一种是用创造的精神去做的，好了还要好，非常高兴，生气勃勃的，结果自然有天渊之别。成功、失败、平庸的区别，实在全系于此。

一个又强硬又严厉又不知轻重的雇主，得到的是前者；一个胸怀广大，又慷慨又有纪律的雇主，得到的是后者。

一个有理想的雇主，他对于他的雇员们开手做他们的工作的时候便要他们感觉兴趣；他处处要他们知道他对于他们是很有兴趣的；他处处要他们知道，他对于他们完全是朋侪、伴侣，完全是有价值的合作者，不把他们当作一副人肉的机器，一会儿要这样，一会儿又要那样地拿来随便乱用的。

什么才干、本领，都放出来向着正当的目标努力前进了，那么，发展与进步便在眼前了；雇员们有了这一种的情形，有了这一种的精神，结果一定不但是仅仅有利于雇主与雇员，而且也很有利于大众。

一个强硬而固执的雇主，他得到的服务一定是敷衍的、草率的、漠然无动于衷的。没有一个人肯愿意提出他的大有帮助的意见来的，也没有一个人肯指出怎么样怎么样，才可以使得他的营业大有进展的所见以及心得来的。帮着他工作的人，也决没有一个急着他的事业是毫无成功之望的。而且，事实上还有许多人对于他的失败非常高兴、欢喜，因为他们自身自有他们的机会，他们的生活决不会跟着你一样的陷进危险的境地里去的。

在这种情形下面，一个工作者会变得更坏，你不觉得老大诧异吗？他会索性连思想也不思想了。他的脑子也会索性不让他活动了，只拿出他的两只手来很机械的动一动，做一做他的一点呆事便罢了。

试问有多少雇主懂得他们的成功或是失败，生气勃勃的，蒸蒸日上，或是死气沉沉的，日渐衰微的这种责任，完全是在他们的雇员们身上呢？有许多人，给予他们的雇员的薪水也不能算少，但是他们接受着他们的应得的钱以后，他们便完全没有了联带着的义务了吗？一个雇主拿出钱来去购买他的雇员们的劳力真个像购买普通的货物一样，一手交钱，一手交货，事情便完了吗？他对于他的雇员们的前途的幸福，未来的境遇可以丝毫不以为意吗？这不是一张直捷爽快的什么也没有的冷血的商业上的契约吗？

有一个磨坊里的监督，他的年纪还不上二十岁，他的全年的薪水是一万元，他很骄傲，说他的很快的升级是由于他有一种催动劳动者拿出他们的劳力来把什么工作一气做成的很大的能力。他明知一紧天的工作是不能满足那些奴隶的劳动者的希望的，所以赶着他们连日带夜的拿出他们的血汗来苦干，一面又警戒他们，如果不这个样子，责罚是无可避免的，你们太没有能力了，你们太害懒了。像他那样的人也还有一个，他是东部一个城子里的一个大雇主，他也时常夸口，说他比城里任何一家都能用较低的工资雇来许多很能帮助他的最适宜的佣人。

从道德的立场上看来，从个人的利益的观点上看来，这些人的方法都是错误的，因为，经验已经告诉我们，年长月久的，在一种严词厉色的监督之下，他们的服务一定不是出于情愿的，比起那些出于自愿的欢欢喜喜的干起来的人们来，你决不能满意，你的所得也一定不足以偿所失。

不问是少年男女，是青年男女，是男子与妇人，他们看见你们对于他们的态度，他们的心里便立刻明白了，知道了。你对于他们的确有兴趣没有，你是不是对于他们的前途的幸福非常关心，你是不是把他们当作一副机器一样的看待，用得着的时候便用用，用不着的时候，或者是机器已经有点损坏了的时候，你便把他们丢过一边去了，他们一会儿也便会看得明明白白的，清清楚楚的。

雇主的最大的好处和雇员的最高的福利是卷起来的，折起来的，叠起来的，打成一片的。他们的利益是相同的，分不开的，拆不散的。一个又健全又知足的雇员可以帮着他的雇主努力做生意，真等于是一个雇主的一部分的资产；他能拟出一个很好的计划来，使营业大有进展，也等于他自身已经投下一笔很有利益的投资了。

“种瓜得瓜，种豆得豆”；到了雇员们觉得很肯负责的时候了，很肯帮着他们的雇主的时候了，他们自然一点也不肯糟蹋材料了，糟蹋时间了，糟蹋精力了，他们自然要想出种种方法来使他们的营业进展而发达了。

大概没有一件什么别的事情更能比得上看见人的工作做得不错，便称许他，赞美他，更能得到欢欢喜喜的大有帮助的服务的了；如果一个雇主还要表示怀恨，表示不服气的样子，真叫人一定要现出很憔悴的情形来，那么，也没有一件比得上这一件这样更能生出损害来的了。有许多人觉得奖励与推许是很能颓败人的精神的，只要一加赞美，他的趣味会逐渐减少的，他的精力也会逐渐不放出来的，他的精神也会逐渐衰退的，他会变成一种很大意的样子。这个足以证明他们对于人性的了解程度是很薄弱的。人们委实需要称许。只要把那些宽宏大量的人，对于他们的雇员真个看作家人一样，处处关顾着他们，所以他们的服务异常忠实，只是无限制的努力前进的情形一看，你便可以知道他们的见解是怎么样的怎么样的错误了。

要想得到你们的工作者的最好的服务，你必须有一种正当的推动力，必须有一种高尚的理想，必须有一种尊贵的发动力。如果你对于他们的诚实的态度有点怀疑起来，对于他们的忠心也有点不信起来，他们登时便会有一种印象了，你怕他们在你掉转背来出去的时候便要连忙放弃了他们的职务了，其实呢，你并不曾认识他们男的有男的人格，女的有女的人格，他们对于是非曲直是很分得清楚的，那么，结果不是双方受害，两不讨好吗？怀疑与不相信最能抑止人们的热忱，最能扑灭人们的雄心，他们会感觉到关顾到你的福利是很无趣味的，也再不愿替你在生意上分一大部分的责任了，他们不但会一变而为一些漠然无动于衷的很冷淡的样子的人，对于工作只是随随便便的做它一做，而且还要时时注意着时钟，只要到了放工的钟点，他们便不知道怎么样的高兴，说，好了，不要再做那捞什子的苦役了。

反过来说，如果一个雇主对于替他工作的人真个有同情心，真个时时在期望着他们成功，真个在巴不得他们把他们身上的能力一齐施展出来，真个时时在赞美他们，时时在鼓励他们，他们的友情自然日益不同了，日益恳挚了，终其身都不会有所不惬了，受着他的高尚的理想以及尊荣的主张的熏陶的男男女女，自然都能成为富有创造力的忠实的工作者了。

做雇主的往往不知道他们的雇员的生活好坏，大部分要受他们的影响。有许多青年男女，他们同那些做别的行业的人又没有时常接触，他们所有的商业上的理想，商业上的榜样，往往完全限于他们所做的那一个范围，那一个行业。青年人是最富于模仿性的，他们在某一个环境里，他们的理想，他们的道德，他们的态度，往往便受着环境的支配，他们有时会完全学着在他们上面的那些上手的。你的组织方法，你的敏捷的态度，你的纪律，你的对于生意非常注意的情形，往往会成为你的雇员们的生活方式。你的尊荣的知识，你的廉明正直的习惯，你的不背金科玉律的敬业之心，可以引得他们和着你的曲调，同你并足驰驱的。

反过来说，你用的方法如果都是很随便的，又没有一点决心，又有迟疑因循的习惯，又紊乱，又没有一点很好的组织的样子，青年人的心上也会有一种很不好的影响了，他的为人也会完全变成这个样子了。你的成问题的设计，你的又聪明又秘密的“勾当”，你的“没有面子”的处置办法，你的严词厉色的习惯，你的随口乱扯的谎话，你的蒙蔽真情的伎俩——这种种，无一不是最败坏人们的道德的基础的，无一不是可以推倒一个有良心的教师的意见的，有时候，甚至可以使一个青年人，忍心害理的，把他的严父慈母眼睁睁的期望着他们的子女到社会上来学一点本领，将来可以自己创业的那种含着一包眼泪的发人深省的一幕，完全揩去了，拭去了。

有许多雇主真不知道摧毁了多少替他们工作的人们的人格，因为他们再不肯给他们的雇员们走上一条尊贵而有用的道路，甚至于连一点依稀影响的影子都不给他们看见。除了到了那雇主与雇员之间，个人与个人之间，互相认识了各人的权利与义务，又有共同利益的时候，到了那各人之间都没有了猜疑与不信的时候，到了那雇主对于雇员很忠实，雇员对于雇主的利益也如同自己的利益一样的时候，劳资这个惹人烦恼的问题是再也不能得到解决的。

三九　广告术

我做起生意来的时候，便立刻想到，没有广告，如同没有伙计。

——约翰·华那玛克（John Wanamaker）

在现在这种竞争异常剧烈的时代，你绝对应该让你的货色叫大家都知道。许多青年人的生意做失败了，虽然他们很认真进货，货色真很多，真充足，却因为他们不知道怎么样登广告。

有许多年纪轻的广告员时常为了广告他们的货色白白的丢掉了许多钱，因为他们既不知道广告要怎么做，又不知道把广告登在什么地方才好，才对。他们从来不研究大成功的广告家的方法。

一个广告要做得很能惹起人的注意是一种艺术，决不能陈腐。广告第一要新鲜，要能永久不衰；还要有生命，有效力，有格局，有精髓，有要点，有主张。一个广告一定要有适于现代的呼声。一个好广告是在说话；它是一个不开口的无声的售货员；它时刻都在张扬着它所说明的商品。

一个广告做得很好的青年，他一定有一个很大的机会，可以把他的货品目录，附上他的名字，送给某一个人的。善用种种颜色的油墨是现代的一个最好的方法，把样样货色都用各种各样的惹得起注意来的方法，告诉上门去的。要成功，第一要把广告做得有功能，有用处，又还应该择定到那一个最好的刊物上面去登出广告来，他最好还要做到想着怎么说便怎么写，总要能给人一个很有利的印象。

单把你的名字让大家知道是没有多大好处的。人们首先要读的是那些惊心动魄，又有刺激性，又有精髓，又很惹人爱的广告，如果是很平凡的，他们一定要随手丢过一旁去的。人们谁愿来读一个平凡的广告呢，除非他们急于要知道某一件事，他们才肯掀开一本平凡的书来阅读。惹人注目和直捷爽快，这两点是绝对不能轻视的。

在一张纸上或者是一种刊物里来上一篇生意上的宣言是没有很好的效果的了，这是一个过去了的办法了。广告已经成为一种很好的艺术，已经成为一种专门的职业，青年人如果希望着他们的商业上的公告成功，必须学习，必须研究，要像画家在他们的画布上做功夫一样。我们的许多大商店里，已经有许多拿很高的薪水的专做广告的人了，——有许多已经是广告部的部长。在我们国内，有许多做广告的人，他的全年的薪水竟高到五万五千元。

切切不可破口大骂一个竞争者。这是你的营业大受他的影响的一篇供状。不要犯夸大狂，也不要来上许多愚拙的卖弄嘲笑。要简单，要诚实，要直截了当。话要说得少，说得好；要把特点或是意思重复的述说，说得读者记得住，忘不了。什么都要简洁，都要明白易晓。

你应该明了，你要登广告，一定有一种要求，所以，要值得说的才说，要值得介绍的才介绍。最有效力的广告一定要着重在几个特点上面。要时时刻刻的叫你的特点让大家都知道。单单惹起注意还是不够的。你要大家相信你的货色，来买你的。

你初做生意，第一要使读者相信你是很靠得住的，相信你的确是能够要怎么说便怎么做的。

有一个我很熟识的青年说："我把广告登来登去都不成功，我的广告却是做得很好的。"我问他怎么登，登在什么地方，他说道："我把我的广告登在一个周刊里登了三次，一共花了一块半钱。"拿钱来这样登广告，真等于白白的丢掉了。永久存在是一个好广告的不可轻视的要点。他的生意一定要时常叫大家知道，叫大家有一个很深刻的印象。

这一个人的方法不见得可以适用于那一个人，但是，有许多人，对于别人的讨论与意见一点都不留心注意。第一件要紧的事情，无疑的，自然是要惹起人的注意。利甫顿先生（Sir Thomas Lipton）在格拉斯哥（Glasgow）初开他的一爿粮食店的时候，他是怎么办的呢？他那时候还是一个小孩子，他就老实不客气的拿出他的小孩子的主意来了。他的父亲送了他一对很好的猪，他把这两匹猪洗得干净，刷得干净，打扮得好好的，使人一见，老大诧异。然后，他把这两匹猪驾起一辆小小的红车来，上面漆上几个大字道："请到利甫顿家去。"苏格兰的人看见这么一辆稀奇古怪的运货车在街上由两匹稀奇古怪的"骏马"背着走，不胜惊讶，一齐跟了上去，一直跟到了利甫顿粮食铺门口，他的门面上油漆的颜色原来也和那部小货车上的颜色是一样的富有刺激性的大红颜色。这个铺子是很成功的；这个铺子后来做了利甫顿先生所有的全世界的五百爿分店的一个核心，一个总店。

"我坐着轮船到了非洲的海岸的时候，"利甫顿说，"我带了许多货、许多茶叶，我们遇到了很大的风浪。船身太重，一定要设法减轻。有一个时候，我们的船几乎要翻了，要沉了；这时候，真的，我想着什么都不要紧，只不要损失了我的茶叶。我把所有的茶叶一齐搬上船面，预备不要什么，单单来做他一个广告。在每一只箱子上，我漆上几个黑字，'利甫顿的茶'。随即丢到水里去，梦想着这些茶箱也许会漂到非洲海边，给许多从来不知道有这种出产的人捡起来拿了去的。真的，事情并不曾出我所料。"

伦敦接得的关于这一件不幸的事件的第一个报告是

一个海底电报，末尾的署名是“利甫顿”。鲁意会（Lloyds）并不知道“利甫顿”是一个什么人，仔细调查一番以后，才证明发出那个海底电报来的是一个大茶行的创办人。

还有一个例子，可以看出利甫顿先生对于广告是认为很有价值的。那是在新南威尔斯（New South Wales）的悉尼埠的事情。几年前，澳大利亚洲发生了很大的事变，矿区里接二连三的发生了几件惨杀案。凶手逃到旧金山，被捕了。凶手要解回澳大利亚洲去，大家对于那只解送凶手的轮船都有一种说不出的特别注意的兴味。一天大清早，解凶手的船到埠了，悉尼港的小艇、小汽船，在那大船抛锚还不曾抛定的时候，有千百只，团团的围拢了上去。夹在这大队的小艇队当中，差不多有二十只小小的舢板，每一只上面都漆着很惹人注目的黑字，“利甫顿的茶”，来来去去的摇着，走着。

华那玛克（John Wanamaker）有一次放了许多气球出去做广告，他允许有那一个找得一个放出去的气球送回菲列得尔菲亚（Philadelphia）他的铺子里来，送他衣服一套。这件事，一传两，两传三，大家都知道了，所以有许多人非常注意，四面八方的去寻气球。因此，他使得许多人知道了他的货物。

这里是雕卢司（Duluth）的哥台尔先生（John Goodell）在《杂货商规范》里，论到一爿杂货店要怎么样开张的一节，道是："公开招待各界那一天之前三个星期便应该大登广告，到了那一天，什么货都不要卖，只请人来吃茶点。在广告里，可以悬赏请人替你的铺子取上一个很好的店名。你可以声明取出来的名字要和你的铺子贴切，你在三星期内所登的广告上面的货名可以随时更换，让人知道你的铺子的性质。只要来替你取名字的，取招牌的，你都应该送他一点奖品，送他一点纪念品。公开招待那一天，你的布置要很周密、周到，要对于那些到你铺子里来的女太太们招待得非常忠实。这一天，无论什么货都不卖钱，这一点一定要严格的遵守着。货架货橱上的货色一定要理得整齐好看。每一种货品上面要很大度的挂上一张定价卡片。关于你这个铺子的服务精神，如果印刷起来，张贴得很好看，也是很有效力的。茶点要请到小圆桌上去吃，旁边要用女学生，最好要穿着日本装。拿出来的茶、咖啡、可可，都要上等牌子的，都要经名手煮得好好的，这些东西，将来也许是你的店史上的销得最多的商品。这是一个很好的短工来显一显他的身手，显一显他的特技的一个大好机会。如果把你拿来卖的罐头食物解开来放在那有盖子的玻璃缸里给人看得见更好。对于伙计，要鼓励他们，叫他们打起精神来，遇着机会，该把什么都说得很仔细，并且要很有礼貌，显出一种很希望他们时常来照顾的样子。

“我很愿意，”哥台尔又说，“拿我的全部广告费百分之七十五都用在一个本埠的大报上面去，预先和报馆方面订定，我共计要用多少地位，或者是登上一年，或者是六个月，但每天要用多少地位，要许我有一种自由决定的权利。这个可以免去一种老登那一点地位的恶习惯，也可以免去一种老登那么一个广告的坏脾气。一个做杂货生意的人能够拿得出多少一点钱来登广告呢，报馆方面给你的广告价目一定不会不是得乎其中的。现在的人，要看日报的习惯差不多养成了。实际上，恐怕个个人都是要看报的了。日报到了人们的家里去，便有别的事情也要暂时搁开了，这时候，他无论如何要想一想了。至于女读者，我相信没有一个是不看广告的。做生意的人，最好要在他的每一个广告里，把他的货色、他的店、他的价目，种种的真实的消息，一概明明白白的发表出来。

“人们都想很确实的知道他们要买的东西要费多少钱，也很想确切的知道定价与质料到底怎么样。在广告里把事实说得很忠实，最能惹起人的注意，最能使人感动。

“一个广告里，最要紧的是要有思想，要有创造的精神；个性也最好要表现出来；一个做广告的人最好要随时注意着学习学习老同行用的种种方法，但他还应该比他们还要进步；他应该明了，那些人是他要引起他们的注意来的，然后再计划着去引动他们，或者是在纸上，在某一种人要看的杂志上，很小心地准备起来去通告他们，或者是派店里的代表去会他们；如果是一个制造家，他还应该在他的出产品上制上他的名字，让什么地方都知道他，不妨使人人知道他的忠实的态度都在他的货品上面表现出来了；一个很好的农夫，他的很好的收成是没有卖不出去的。”

要想把生意做得很好，单靠广告做得好，实在还比不上有一种“货色真好”的名誉，货色会把你的忠实的地方完全告诉人的。你的生意做得很诚实，你的上层建筑物是已经很成功的了；但是，如果你的基础却是筑在坏货、劣货上面，筑在胡言乱语的宣言上面，你的生意一定会大受影响的，迟早是要一败涂地的。

斯条亚（A. T. Stewart）的真实不欺的态度是很值钱的，他也真很赚钱。他从来不许他的伙计插一点鬼货，卖一件有一点毛病的货。有一天，有一个伙计拿着一样有了毛病的货在手里，告诉他这批货是出毛病的了。这时候，恰好有一个顾客从乡下来了，他自来是一个要添货便添得很多的人，他走进来便问道：“你们今天到了什么上等的新货了吗？给我看看罢。”那位青年立刻回答道：“有的，先生。我们刚才进了一批好货，配做嫁妆哩。”他伸手便把他刚才批评给他的东家听的那种货色递了过去。他把质料怎么好详说了一遍，很忠实的样子，结果竟卖出了一大批。斯条亚亲眼在旁边看见这笔生意做成功了，他一面请那位顾客把他的货色看得仔细点，一面打发那位不忠实的伙计上楼到账房里去把他的薪水结清，他决定不要他再在店里服务了。

一个售货员要忠于自身，要忠于东家，还要忠于顾客。商人要活泼玲珑，要随机应变，但也要顾到大众的信用。没有信用，生意是做不发达的。一个乖巧的售货员，他把一种成问题的货色用高价卖出去了，他还要夸口，说他做了一件聪明的事了，但是，年长月久的，他的所得实在不足以偿所失——他的所失是店的已有的信誉，贸易上的生命线。

国家信托人协会的会长铿能（Cannon）先生说："制造商已经差不多都明白了，造卖不忠实的冒充的商品绝对不是一件有利的事了。一个商家的货色说来是真的，后来证实起来，却全是假的。一种值得登广告的商品，在现代，一定要有一种功能，才能得到酬报，也一定要只说最老实的话。不忠实的货，像一张跌了价的票子，做生意的人，谁肯收它！他们的货全是冒充的，假造的；他们那种要不得的法子，同造'铜洋钱'是一样的！"

四〇　赶上时代

有一个故事，说有一个兵士数嘴，说全营的兵士的步伍都配不上他的步伍。我们时常看得见有许多人，依着自己的方针，拼命的努力，想得到成功，对于一切很新的商业上的很进步的方法，都一概拒绝不接受，并且斥为狂妄，说，要不了多少时候一定又是要过时了的。这种人，在世界上，不但决不能显一显他们的身手，而且，要不死于穷困，也一定要死于糊涂。

我们知道有许多日报，已经陷进覆辙了，已经完全走出了轨道了，只不过因为他们的编辑再不肯接受采用适于现代的方法。他们再不知道用“锌版”制成的歌是和原来的样子一样的。他们再不知道花一点钱打电报，打海底电，是很有利的。他们再也不知道多出一点薪水，请会写文章的人来担任做些水平线上的文章，比例起来，费用并不怎么大。他们再也不明白，旧铅字，老旧字，实在不应该再用了，实在不能用了，再要用下去，印出来的一定是糊糊涂涂的，不能读了。他们还要斤斤的争辩，出很大的薪水请校对专家是很愚蠢的，因为日报上有几个错字有什么要紧呢，平常也就看过丢过了，一会儿也便忘记掉了。他们再也舍不得把旧机器放过一边，换上最新式的，因为他们花去的钱已经很多，而且别的同业、竞争者，也还不曾把旧的换上新的。他们再也不知道一张“夜报”实在不应该东西抄袭，一定要多花一点钱买许多不曾发表过的新消息。他们再也不知道他们的销数怎么突然减少一半了，连广告也不很有人来登了。

但是，他们的同业的竞争者，对于种种理由，却很明白。他们知道现在是一个要力求进步的时代，什么人都在希望着去惠顾那些最摩登的东西去了。他们知道，要定一份报，要定一份杂志，他们一定要向那有胆识，有冒险的精神，有进取的勇气的一个很进步的出版家那里去定的；他们要登广告，也一定要去找到一个销场很广，读者最多的大大有名的日报上去登载的。只要有了一种赶不上时代的名色，只要有了一种背了时的名色，只要有了一个落了伍的名色，不管你做的是什么生意，干的是什么行业，一会儿便会感觉得大家都不来惠顾了，你的顾客们一齐都把你丢开，让你去和那些背了时的人们去做做你们的生意去了。

有许多当教员的，许多年来，果然教得很好，很成功，但是，现在也有点没有希望的样子了，也有点出轨的样子了，只不过因为他们死守着老法子，对于无论那一种新的教育思想，一概诋毁，认为都是很肤浅的，绝对都是败坏真实的教育的趣味的。

当律师的也没有人来委托诉讼了，因为他们再赶不上别人的进步。他们从来不买新法律书来研究，也从来不看法律的刊物；他们还是如胶似漆般贴着他们的一点老法子，一点老书，一点先前的老调，在法官面前还是用从前那种很风行一时的古代的辩论方式，但是，现在却已经背时了。他们的办事间是很灰暗而龌龊的，他们那种冷淡的态度也和他们的外表一样。但他们还觉得非常诧异呢，怎的他们的委托诉讼的人都不上门来了，怎的有许多生意都走到那些比较起来，确实是没有经验的那些青年人的手里去了。

一个医生也走到叉路里去了，因为自从他出了医药专门学校以后，他便停止了进步。他后来也觉得有点重要的样子了，门面光不能不保住，有什么最新的发明，应该备上一点；有什么药上的进步，也不能不留心留心，注意注意了；但是他越弄越糟，他又不肯下一点苦功去读读最新的药品的刊物，他又不去仔细的分析分析，或者是试验试验最新的临床方法。靠着他的一点技术、一点老书、一点器具、一点药方，他自以为满足了，他只是一味的向着坑里沟里乱钻。他再也不知道在他左近，有一个新近搬来的没有资格挂牌的青年医生，却是在一个设备很完全的医院里实习出来的，他也有最新式的外科器具，也有最新的药方，也有最新的科学的药书，也有一间人人都说布置得很好的最新式的诊室，——有许多要动手术的生意都从他的手里落进他的手里去了。等到那位“过去了的”医生醒来的时候，一切情形他也都知道了，他把原因归于什么呢？——归于他自己毫无进步。

旧式的农夫，既不相信很新的思想，又不采用新式的农具，也不研究土壤学。因为，二十年来，他的父亲明明在田里种出五谷来了，种出山薯来了，他想着，只要照样干去便好了。他再也不相信收成还有一种什么轮转的自然律，他只是跟着他的祖宗的覆辙慢慢的走着，只要一口饭混得上嘴便算了。这时候，他的一个有进取心的邻居，也有一点田在他家的田旁边，也有他家的田那么大，他在泥土上很肯用脑筋，又采用了许多最新的适于时代的方法，在他的田地里干出奇迹来了，他自身以及他的一家，都很快乐，都很舒服，同时，他还是一面在享受着他的工作之乐，一面在努力求学问上的进步。

有许多例子可以证明有许多美术家，不但在国内已经有了很大的名誉，而且在国外也已经有了很大的名誉；但他们走上歪路去了，因为他们再也不肯采用最新的“着色”方法，画来画去也算不得很时髦。他们一味的死守着老法子，再也不肯改良，结果是落后了，落伍了。

我知道有一个多才多艺的老美术家，他的名声很大，因为他的方法很好，无论对于那一点，都要全神贯注，一丝不懈。他自己很夸口，说是便是拿一副放大镜来看，他的画也是没有一个缺点的。他很骄傲，觉得他的努力是永永不会磨灭的了，不朽的了。他的画，的确还画得不错，画得令人有点惊异；但是，在学校里面，印象派已经抬起头来，他挺身出来用他的全力作战了，不但誓不采用最新的方法，并且极力排斥印象派的名手都是些诽谤真的艺术的人。他的面孔始终倾向着古代，不但渐渐的穷死，而且再不为人所看重了。他走上了歪路了，完全由于他誓不采用那适于时代的方法。

一个青年人，在现在这种时代，要想做某一项生意，要想干某一个行业，他应该从这一家的办事间到那一家的办事间，从这一个铺子到那一个铺子，从这一个工厂到那一个工厂，仔细的依着他自己的心愿去参观参观，研究研究各业里的非常努力的成功者的秘诀。他一定会看得见的，老法子，老机器，老样子，最成功的人，早把他们不知道丢到那里去了；只有那些走上了歪路的人，还在那里死守着他们的实在要不得的旧思想，抱着他们的古代的方法。他也会承认的，不愿意采用最新的方法以及最新的思想的人，不问他是一个学法律的还是一个学医药的，是一个戏院还是一个讲经说教的地方，是一个商店还是一个工厂，他们都是那种害了疯瘫病的样子，他们的招牌也一定是向着那毫无希望，不为人所注意，绝对的失败的方面高高的在挂着。他也一定会看得见，有许多很成功的人，他们都是很进步的，有进取的态度的，有冒险的精神的，有创造的勇气的，什么都是要采用那适于时代的方法的。

以前真个从来不曾有过一个时候，像现在这样急迫地需要那些受过很好的训练的，很适于时代的精神的青年人的。只要伶俐一点，只要有一点机智，便算得是一个一等的商人，这个时期是已经完全过去了。现在的成功的商人，一定要有一点学问，要有一点地理上的学识，要有一点国外的人情风俗以及商业状况的知识，还要懂得最新的会计以及其他的一打以上的商业上的必不可少的技能。现代最需要的是那些有广大的心胸，又有自由的思想，又能坚苦卓绝的奋斗的人们；至于那些死守着老法子，一味的要抱着一种一成不变，单调无味的方式的人们，只有听其自然，让他背时，让他高高兴兴的坐在几条牛联起来背动的车子上去旅行游历，不坐火车。

今日的商人对于一事的裁夺，一事的权衡，一定要比法官或是陪审员更斩钉截铁，直捷爽快。他应该先把什么都计算得很精确，然后再决定怎么样才是最妥当的买进，怎么样才是最妥当的卖出。只有那明敏的感觉，远大的透视，健全的判断，可以使人区别得出投资的利弊。小麦、棉花、羊毛、烟草的价格，有一个时期，受着千百种的影响，突然失势，突然狂跌。但是不到几年的工夫，这些不出名的货物，断为毫无价值的货物，又创出另一种新的局势来了。

人们要想发扬光大他们的事业，要想成功，必须把那无能为力的古老的方法丢过一边，迅速地追上时代，迎上时代，赶上时代。一个新的纪元已经开始了，什么有利的事业必须在最新的、最摩登的原则之下向前迈进。

人们的需要年年在变换着，如果他有远见、有眼光，他能准备着供给这种的需要，他的营业必定有长足的发达，迅速的进展。

有许多人在乡下开店已经开了多年，但他弄来弄去，还只能糊口，只不过因为他们走错了道路，走到坑里去了，走到沟里去了，他们实在太保守了，实在太懒惰了，他们再不肯采用最进步的方法。他们什么都是背时的，顾客需要的东西，他们一件也拿不出来。没有先人一脚的眼光，没有预先推定的见地，实在是一个很大的害处。一个商人，一定要研究顾客需要的是什么，向往的是什么，要像那十分谨慎的医生注意着他的病人一样。

你们店里的老货很多吗？过时货很多吗？不值钱了，不要再摆着了，随便几个大钱，把它卖掉罢。一个青年人的第一件重要的事情就是要做出一种适于时代的精神的名誉来，要做出一种很进步的名誉来，要做出一种什么都是最时新的、最新式的名誉来，要像那女人专管伙食一样。纽约有许多店家都很“干枯”了，因为他们进货的时候，他们的决断实在太坏了。女人一会儿便会知道那一家店是大家都很欢喜去买他们的东西的。

这种的实在情形，并不限于布匹生意，什么别的生意都是一样。人们要买东西的时候，他们一定要打算着去买那些最好的、最新的。譬如有一个人要去买一顶帽子，他一定要晓得样子是不是差不多要过时的了。他总不会跑去问问是不是去年的最时新的样子的。如果你放在店里卖的是一种最新式的，他一定很欢喜的买了去了。关于衣服上的东西，情形也一样。

你们的生意做得不很成功的原因大概是由于你们的货色从来不整理得好好的，陈列得很适当。你们的各部大概是很紊乱的；你们的店也不很清洁；你们的橱窗也不曾妆饰得很好。单把货色向橱窗里一放是不够的：什么货都应该陈列得整齐，好看，美观，有味，有一点新思想，有创造的精神的设计。一个陈列妆饰得很好的橱窗是一个很大的广告。是的，你的地下室里，你的货架上，你觉得你的货色很不少，比你的竞争者多得多了，但是，不成功，无用，你的橱窗里并不曾给人一个很好的印象。大公司里的精明的企业家，他们便知道了，一个有实力的橱窗的妆饰员，那怕他的薪水很高，在营业上，他担任着的实在是一个很重要的部分。如果你们的规模很小，不能出高薪水单用那么一个人，你不妨在你的店员之中，择一个性子近的，又感觉兴味的，特别是女子，好好的费上一点思想，花上一点心血，你会得到很好的成绩的。

你觉得你很努力，你很苦干，但你的营业并没有多大的进展，比不上你的竞争者那样发达，那样蒸蒸日上，他是很明白的，至少有二三十件小事情是你很不注意的，所以你的营业突落了。

举例说罢，你觉得你们的店比你们的竞争者堂皇得多了，惹人注目得多了，怎的你们的顾客是那么稀稀落落的，并没有几个，而你们的竞争者的营业要比你们大上两倍，你一定觉得有点奇怪了。但是，他是知道的，你的雇员，你的学生意的小孩子，你的送银的小孩子，你的账房，都是冷心冷面的，很粗鲁，很野蛮，很无礼，已经把许多生意赶走了。他也知道，你的伙计，有的是很无耻的，有的是脸皮很厚的；他们从来不肯吃一点苦；他们一点也不肯与人方便，所以，有许多顾客都掉转头来跑了。他又还知道呢，一个不好的伙计，最好不要让顾客见到他的面，否则他会把生意做伤的。

你选择伙计的时候，大概不很仔细，不很当心，不很以事为事。你也许不很能够辨别得清楚，谁是宜于在店堂里走来走去的看看的，谁是宜于独当一面，当一个部长的。你也许有时要派某一个人去做某一件事，在种种方面看来，无论如何是很不适宜的。

你的书籍，也许从来不理得很齐整罢？你的账目，也许是很紊乱的罢？你对于任何人大概都相信他罢？你对于收罗人才，恐怕有点随便罢？你也没有一个财产目录罢？你也不知道你到底还有多少货色罢？你的处境到底怎么样，你大概也不很明白罢？

一个富有精力的青年，又聪明能干，又适合时代的精神，有二十世纪的思想，他要来和这种顽固守旧的店主竞争一下，结果是不言而喻的。等不到他们明白，他们的顾客，毫无疑义，早就一个一个的走了，走到新开的店里去做成他们的生意去了。

我们不妨这样说罢，“一个游泳池里的革出者”，他再也不管世界上已经震动到什么田地了，他只是自己把自己幽闭起来，埋头在研究室里，埋头在实验室里，只靠着一点书本，只靠着一点空论，也不和人接触，也不和事接触，用不了多少时候，他一定便会落后而不及格的。

世上有许多很好的精力都浪费在留恋过去，梦想将来上面去了。真没有多少人也不管过去，也不管将来，只想着现在是最值得生活着的。他们实在应该和现在的生活接近，对于狂潮汹涌般的新文化运动也应该有一点感觉。

有许多人不愿意生活于现在里。他们葬身在书籍里去了；他们生活于古董保存所里去了，生活于历史里去了，生活于与世隔绝的隐居生活里去了；世界的脉息是在勃勃的跳动，而他们毫不感觉。

生活于昨日的世界里是无用的，生活于明天的世界里也是无用的，只有生活于今天的世界里才是托实可靠的。我们应该知道现在这个世界是一个什么世界，现在这种时日是一种什么时日，我们也应该参加进去，负起伟大的文化运动的责任来的。

有许多人还是在过去里生活着，他们所受的教育还是中古时代的教育，他们并不曾受着现代的教育。他们是生活在历史里，生活在荒废的古城里，生活在死的哲学里，生活在末路的空论里，预备枯寂而死。他们的学问全是过去的。他们是不合时宜的了，像一只极乐鸟，到不了北极去的。只有身体上的给养把他们系在今日的这个现实的世界上。他们的心灵上的食粮，他们的深思反省，一概都是过去的，但他们还要觉得很奇怪呢，怎么这个世界要这样不容他们，他们是再也格格不入的，其实，在事实上，他们原是些一个生疏的地方的不速之客。他们对于现在的种种奋斗挣扎是没有一点同情心的，他们对于时代的趋势也看不清楚，对于四周的伟大的活动，也丝毫没有一点感觉。

青年人要想得到胜利，一定要跃进时代的狂流。他还应该处处求进步，不然，他会屈居殿军的。如果不让时代的狂流在他的血管里活跃着，他的性情上不免会害起疯瘫病来的。

商业方法上的剧烈的革命，文化上的大踏步的前进，各方面的种种发现与发明，五十年来，证据凿凿，任何一界的青年男女，都急需大规模的好好的训练，不能像十年前那种样子了，更不能像二十五年前那种样子了。这一个世纪的题词是“还要向上”。

我们需要年年进步；譬如说罢，一个青年人要想做一个商人，如果不比以前更受高深的教育，他是不能得到更好的结果的。除了会读、会写、会算以外，如果不加上非比寻常的料事神速的感觉力，如果不加上远大的眼光，决不能使一个人的生意做到很成功的地步的。

一个不曾受过教育的人，对于他的一个小小的铺子以外的世界的情形毫无知识，也能算得是一个勉强适合的人，这种的时代早已过去了，永不回来了。要想成功，要能保持得住任何一种现代的生活的需要，他必定要眼观四面，耳听八方，不但对于国内的一切情形要很注意，只要是能够得到的文明世界上的一切情形，他也应该特别的留心。他还应该急急的采用适于现代的方法，要对于国内以及国外的市场了如指掌。进货术与售货术，过去是很简单的，现在的交互关系复杂极了，已经惹起了很大的兴味了，已经成为一种比算学还难学得好的一种科学了。竞争是很尖锐的，是很惨酷的，一个商人，如果他没有一点眼光，预先看得见大众的需要，预先知道是在什么时候需要，正在时候上制造出来，营业会一蹶不振的，一落千丈的。事实上，商业世界的水平线，在一个眼光太狭隘，理想太有限的人看来，实在太阔了，太包罗万象了。

别方面的革命也不寻常。机械工业、手工业、工程界、药业、科学方面以及其他人类活动的田园里，变更也都是很剧烈的。

几年前，电气的用处还不很多，还简单，但是，在现在这种科学生活里，它的用处实在太广了，谁能知道电气是什么事情都会做的，它的用处真是无穷无尽。在今日，要学电气工程，必须先有了广汛的训练，必须先受过了普通的教育，才能去学这个特别的一科，像五十年前那样学法律或是学医一样。

时候已经到了，要在某一界做一个领袖，你应该多费上几年的功夫，仔细的训练，充分的准备。

这是真的，今日的青年的机会比从前好得多了，大得多了；但是，反过来看看，世界的历史上也从来不曾有过一个时期，在任何一界，像现在这样需要拿出颇有一点能耐的资格来才能去努力。

工匠、农夫、商人、牧师、医生、律师、科学家，在他们那一界里，一定要向着他们的最高的理想充分的准备，才能有到达最高峰的希望。

只要他们停住了脚步，只要他们对于他们的一点只能算得是一知半解的普通教育，或是一点一技之长的特别训练，感到满足了，他们登时便会给那勇往直前的文化推到一边去了的。人们要想立足，只有靠着他的精神，靠着他的心力，靠着他的体力，靠着他的天生的本能，向着光明的进步的路上前进，努力读书，努力研究，努力思想，努力观察，使他的心身得到最大的发展。没有一个人是可以置诸不闻不问的，或是可以靠着别人来培植他，而不工作，有损于一个完人的。

四一　友情与成功

爱默生（Emerson）在一句很简括的话里对于友情这样摄要地说道："一个朋友可以叫别人胜过他。"你的成功，你的失败，除了靠你自己的力量，再没有一种别的什么力量可以比得上恳挚真诚的友情那样更能帮助你，使你可以到达成功之境的了。

朋友的思想同我的差不多，对于我的志愿很有同情心，又认识我的长处和短处，只要是一件好事情便鼓励着我用全副精神去干，是一件坏事情便劝我丢手，把我的歪念头打消，我的能耐，朋友不知道叫我增加了多少倍。他的动人情动人爱的系念像磁石般在我的四周围绕着；他增加了不少的气力在我的气力上，使我抵挡不住，来了一种非要成功不可的力。

无论在那一种环境里，他有能力交得住朋友，结识得住永久不变的朋友，这种人，在生存竞争场中，他的价值真是很难估计的。

不谈精神上可以得到慰藉，也不谈道德上可以得到观摩，更不谈可以加增不少的欢乐与愉快，我们不妨又来用一种生意上的口吻说一说罢，友情的价值是不可轻视的。

最近，伦敦有一家报馆举行一种悬赏竞赛，单替“朋友”两个字下一个最好的解释。有一个得奖的候选人送去的一个定义是:“全世界的人都走光了，只有他，独自一个首先来到。”

这个定义下得不见得怎么博学，也不像字典上那样神气活然，但是，能换上一个更好的解释吗？一个做生意的人，遇着经济上的困难了，遇着紧急的关头了，经着很大的变故了，风雨飘摇，危险万状，正在千钧一发的时候，一个朋友来帮助了他，救了他，这种的意思，何等珍重！

有许多人，初进社会，靠着他有一点交得住朋友，保得住朋友的能力，他得到了很大的成功了。但是，现代的商业方式，渐渐的使人不能得到友情了。摩登的人十分忙碌，有许多人都沉溺于富有刺激性的游戏上面去了，真没有功夫来做交朋友这件要紧的事了。同窗学友，从前真是日亲日近的，他们的血里还不曾染上心贪似虎的症候，早把他们丢开了，却也不曾交上新朋友来代替他们。

著者看见的冷血人冷血事是很多的，有一个老同学，去看一个老同学，多年不见了，他正在忙着生意，只和他谈了十分钟，因为他有一条一点不肯放松的规则，“什么快乐都要放向后，生意放向前”。这种人是可以发一点小财的，但是，使友情根本动摇的价格未免太大了，这种的牺牲，天使要掉下眼泪来的。

有时候，一个人也许会比他的早年的朋友要发迹得快一点。他的学问，他的气力，他的聪明，都会在继续不断的进步，而别人，有许多只求心灵上的需要满足便算了，还是那么一个并无多大的进展的样子，真有点跟不上他的尾巴。但是，任何一个人，如果都有点像那位落伍的朋友那样交不着新朋友，不管他已经有了多大的所得，他也不能说是真有进步的哩，因为，“一个人有进步无进步，要看他择友是不是很成功的”。

碰见人便躲避，宁可过那孤独的生活，宁可自己把自己监禁起来，这是很危险的，很有碍于成功，也有碍于实在的进步的。一个人，只顾他独自钻进他的某一种特别研究里去了，只顾他独自沉溺于他的某一种特别工作里去了，对于社会生活，好像完全不注意，好像已经完全隔绝。朋友们来看他，要便是扯一个谎不见他们，要便是冷心冷面的、索然无味的接待他们一下子，他们自然都不要再来了。这一个也不来了，那一个也不来了，一个都不来了；出乎意料之外的想不到的困苦艰难来了，急难来了，他这才醒了，觉悟了，他没有朋友——他是一个独行踽踽的人。

要把我们国内的许多成功者，靠着他们的朋友的势力，干成他们的事业的蛛丝马迹观察一番，真是很有趣味的。新近有一个作家说道：“人们全靠一个很大的信用组织在维系着，基础是建筑在互相尊敬、互相看得起眼上面。没有一个人可以用他的一只手便能在商业的战场上打一次胜仗，得到他的商业上的成功的；他必须有朋友，有帮助他的人，有拥护他的人，不然的话，只有失败。”

朋友不但可以陶冶我们的性情，可以陶融我们的人格，而且能够随时在各方面帮助我们。他们可以随时把许多能够叫我们得到兴味，得到益处的男女朋友介绍给我们。他们在社会上，处处要帮我们的忙，带我们走进一种地方去，没有他们的势力，一定是要吃着“闭门羹”的。他们没有不是诚心诚意的，对于我们的生意，我们的职业，到处在替我们登广告，告诉朋友们说，他知道我们最近又出了许多新书了，我们的外科手术是很好的，我们的病真看得不错，药也下的对，我们最近又赢了一场官司，我们有许多“聪明”的发明，我们的营业真在一日千里的进步。换句话说，真的朋友没有一个不随时要督促着我们“感发兴起”，要在世界上努力前进不息的。

知道有人在相信我们，这真是一种天大的快乐，我们对于我们自己的能力也能够分外有一种坚决的自信了。在我们四面，尤其是那些成功者，一点不拘束，一点不隐藏，绝对来相信我们，——他们的意识上觉得我们的能力是可以成事的，可以在世上干得使人有点感觉的。——真是一服绝妙无比的补药，真能使人分外的奋发有为地努力。

有许多有宏愿的人，真是在一种惊涛骇浪中挣扎着，真是在一种异常恶劣的环境中奋斗着，想要得到一个立足之地，他们忽然知道了，有许多人是在期望着他们的努力的成功，如若失败，非常颓丧，他们更有勇气了，更起劲了。

有许多苦恼的奋斗之士，在半路途中，失望了，不作战了，但他的脑子里，忽然记起他的教师的临别赠言来了，他很相信他，希望着将来一定可以听到关于他的好消息哩。有许多青年人，失败了，但是，慈母含着一包眼泪的叮咛嘱咐，期望着他不要使她失望、伤心，又使他转土重来了，百折不回地又去争取他的胜利了。

我们对于那些期望我们的话，鼓励我们的话，从来是视为很郑重的。只有那些天生的好勇斗狠的人，自信过甚的人，对于这种争取成功的最大的帮助的重要性不很珍视。他们不很明白，对于庸懦的人，自己看轻自己的人，要催逼他，要叫他们知道别人是很有能力的，能立德，能立功，他们也一样是一个圆头方趾的人，这实在是很需要的。有许多失望的工人，都是些质地很好的男女，完全失败了；因为他们觉得谁都不相信他们，因为他们再也得不到十分珍重的鼓励他们的言语，相信他们有成功的能力，鼓舞他们奋发有为的努力前进。

除掉有许多人——他的教师、兄弟、姊妹、父亲、母亲，或是朋友——真很相信他们这一种觉悟以外，还不曾有一种什么更能影响儿童生活的更好的影响。

一个少年人，如果是一个笨伯，如果也有一点气力，如果也有一点可以成功的能力，如果在他旁边的人都去贬抑他、遏制他，使他觉得，他的父母以及他的老师对于他都觉得有点莫名其妙，都说他将来大概是要失败的，再没有一件什么别的事情比得上这一件这样更能使一个少年人失望的了，丧失掉他的勇气的了。

这种的小孩子，如果能够得到几个朋友对于他是很有一点充满了爱力的深信不疑的态度，也看出了他的身上确有一种梦想不到的才干，这时候，他会得到一种新的希望了，新的曙光了，如果继续不停，这便是一种很大的鼓励，一种神来之力。

如果你对于一个小孩子很相信他，如果你看得出他的确有一种能力（任何人都是生来总有一点能把某一件事做成功的能力的），你告诉他罢；告诉他，你相信他将来是可以成为一个好男子的。这种深信不疑的态度，有种种证据，可以证明他所给予青年人的机会，比起那些白花花的洋钱的资本来要大得多多了。

“他相信我”，这里有神来之力。

四二　成功要由自己估值评价

要叫全世界拍手赞成，这不是一件容易的事情；但是，要得到自己的“舍大道而不由”的允许，这却是一件再容易也没有的事。不过，真的没有一个人可以算得是很成功的，除非他自己对于他自身已经有了尊敬之心，——已经得到了他的良心上的允许了。

人都避免不了要被人捉去永远住在一个假冒的完全镀金的高楼上面，耳朵里天天去听上一两句完全虚伪的赞语的，这种的境地最令人不欢，也最容易败坏人的精神。

你的魂灵又认为落落不合，绝无用处，也不允许，不问是什么不忠实的角色的空无所有的胁肩谄笑，摇尾乞怜，还是纯正的重视，试问这是一种什么境地呢？有什么财富可言呢？又有什么力量可说呢？

成功要由自己估值评价，这个态度便是一个可以成功的态度。有许多人，估人的值，评人的价，是很成功的，但他们又存了妒忌之心，跟人学样了，在良心上说起来，结果自然只有惨败，他的一脸的虚伪，实在可以说是咎由自取。一切要我自许，——是与非，要我内心断定——这真是一种成功。财富与荣誉赐予你的，给予你的力量比不上自许给予你的来得满意，来得泰然自若。无论男女，纵然受到重大的剥夺，决不作一声不平之鸣的；便是进入牢狱，也还是快乐的。

一种虚伪的或是口是心非的违背天良的生活，虽然我们对于别人并无恶意，便是一个身体很强壮的人，他的体力也要受着很大的戕伤的，他的脑筋也要受着很大的摧残的。或者在这里，或者在那里，或者在这一件上，或者在那一件上，一个冒充的角色，他的冒充的外套结果一定要给人撕得粉碎，丢过一旁。他会活像一只插上许多向孔雀借来的羽毛在自己身上去炫耀于人的乌鸦，只能一时，结果一定要被那些他想着去欺骗他们一下子的许多鸟嘲笑谩骂一顿，闹一个大笑话出来的。

不问他的职业怎么样，他的身份怎么样，这是任何一个人都应该竭诚努力的，什么都应该遵从着他的魂灵的“舍大道而不由”的允许。这个可以加高一切的尊荣，一切的丰富，一切的名誉，并且能够给与他力量，给与他鼓励，使他在生之航路上遇着无可避免的狂风暴雨的袭击的时候，可以如履平地。

这个固然是不应该时常着重的，又是什么真的成功并不是指着一定要做出一点特别的事业来，并不是指着一定要得到巨富，并不是指着一定要干出一点不平常的什么事来；又是什么无须要个人的名字可以上报，可以得到多数人的一致的鼓掌；又是什么用不着干出一点什么显著的事来；但是，我们总应该着重进德修业；应该尽量的拿出我们的气力来，尽量的利用我们的机会，尽量的好好的努力，把我们的这个世界改造一下，改造得可以住在里面。

“男孩子要住下来使老人欢乐，女孩子要思想思想，妇人的天职是很尊荣的，她应该做一个可爱的有思想的女儿，做一个富于同情的很体贴的姐姐，做一个忠实而不怀私的妻，做一个小心谨慎的有常识的母亲”，这种的男孩子同女孩子，成功得多了；比起那些抛弃了故园的田地，进什么专门学校，又是干什么公共的事业，又是经营什么商业，干得他们自身的名声无人不知来，还是他们成功得多多了。

这是不应该忘记的，成功的构成，并不是白花花的银子，也不是赫赫的大名，更不是什么百倍的声价。

青年人断事往往只重外表，只重浮面，真很肤浅，真很皮毛；他们看见大政客，大银行家，了而不得的商人，声势吓吓的铁路上的人，制造家的大名，排排列列的在报纸上登着，他们便想着，这个世界倒全靠着他们奔走运动哩。

事情却不是这样的。人们应该说，一个国家的繁荣全靠着各城的生意怎么样，而事实上呢，各城的生活怎么样却完全要靠农村。收成好不好，是市场、商情、世界的生意的一个标准表。

世界并不是靠那报纸上的几件堂而皇之的丰功伟业在撑持着。不是的，完全不是的；在撑持着这个世界的，却是那些千千万万的家庭里的小小的牺牲，负担重的非常克己，做父母的，含辛茹苦的终日勤劳，节衣缩食，期望着他们的子女开始生活的时候，受到的困苦艰难，不至像他们自身所受到的那样的严重，却是那些一点没有怀私之念的女儿们，丢开了他们的欲望，把家庭布置得好好的，让那暮景残年的老人也有一点愉快与欢乐的心情，却是那些忠实的苦做的孩儿，守着田地，帮助着把抵押的重债还清，拯救拯救他们的老家。

这些事情是从来不会在报上记载着的；这些事情，实在太渺小了，太卑微了，太不惊人了，太惹不起大忙而特忙的世界的注意了；但是，这些事情，已经唤起了许多男女到达了实际上是很伟大而真实的成功之的的了。

三联经典文库第二辑简目

《游击战教程》　明凡 / 著

《游击战术纲要》　陶剑青 / 编著

《汪精卫卖国的理论与实践》　钱俊瑞 / 著

《抗战以来》　韬奋 / 著

《陕行纪实》　楚云 / 著

《随军散记》　沙汀 / 著

《被日寇囚系半载记》　王研石 / 著

《倭营历险记》　房沧浪 / 著

《活跃的新西北》　田影 / 编著

《保卫华北的游击战》　刘清扬　陈北鸥等 / 著

《徐州突围》　《徐州突围》编委会 / 编

《沦亡的平津》　长江　小方等 / 著

《淞沪火线上》　胡兰畦等 / 著

《瞻回东战场》　长江　罗平 / 著

《东线的撤退》　胡兰畦等 / 著

《抗战中的西北》　徐盈 / 著

《鲁闽风云》　徐盈等 / 著

《西线生活》　西北战地服务团集体创作

《中国解放区见闻》 ［美］福尔曼著 / 朱进译

《全面抗战论》 潘汉年 / 著

《日本的间谍》 范士白自述 / 尊闻译

《日本大陆政策的真面目》 国难资料编辑社 / 编

《民众动员论》 李公朴 / 著

《中国外交史》 钱亦石 / 编著

《太平洋军事地理》 蒋震华 / 著

《世界经济地理讲话》 思慕 / 著

《列强军力论》 ［德］马克斯 · 威纳尔著 / 宾符 仲持 梅益等译

《近代国际关系史》 张铁生 / 著

《太平洋现势手册》 沈志远 石啸冲 / 编著

《近代世界政治史》 钱亦石 / 著

《从战争到和平——一九四五年的世界政治》 乔木 / 著

《战后日本问题》 思慕 / 著

《最近一年间的国际动态（1946.7—1947.6)》 《东北日报》社 / 编

《论政党》 翟放 / 著

《法与宪法》 韩幽桐 / 编著

《中华民国宪法刍议》 罗家衡 / 著

《民主 · 宪法 · 人权——作之民》 费孝通 / 著

《宪法论初步》 潘念之 / 著

《对反民主的抗争》 韬奋 / 著

《农村改进的理论与实际》 江恒源 / 著

《上海产业与上海职工》（上下）　　朱邦兴　胡林阁　徐声 / 合编

《陶行知教育论文选辑》　　陶行知著 / 方与严编

《中国通货膨胀论》　　杨培新 / 著

《中国及其未完成的革命》　　H·普拉特著 / 蒋天佐译

《中国的建设问题与人的训练》　　卢作孚 / 著

《论中国特殊性及其他》　　艾思奇 / 著

《中国经济问题讲话》　　钱俊瑞　徐雪寒　王渔邨　姜君辰　骆耕漠 / 合著

《中国经济的道路》　　许涤新 / 著

《中国财政之病态及其批判》　　孙怀仁 / 著

《官僚资本论》　　许涤新 / 著

《五四运动之史的评价》　　陈端志 / 著

《中国通史简编》（上下）　　中国历史研究会　范文澜 / 主编

《论文学的工农兵方向——读〈在延安文艺座谈会上的讲话〉》　雪苇 / 著

《中国近代史（上编　第一分册）》　　武波 / 编著

《文学百题》　　傅东华 / 编

《中国史学之进化》　　周谷城 / 著

《论民族形式问题》　　胡风 / 著

《论批评》　　荃麟等 / 著

《中国史纲》（第一卷上下、第二卷上下）　　翦伯赞 / 著

《近代中国思想学说史》（1–4）　　侯外庐 / 著

《中国政治思想史》（上下） 吕振羽 / 著

《中国哲学史纲要》 向林冰 / 著

《中国政治史讲话》 钱亦石 / 著

《中国社会经济史纲》 王渔邨 / 著

《新财政学大纲》 千家驹 / 著

《太平天国革命运动论文集——金田起义百周年纪念》

华北大学历史研究室 / 编

《理性与自由——文化思想批评论文集》 胡绳 / 著

《战斗者的诗人》 黄药眠 / 著

《国语文法》 曹朴 / 著

《教育哲学》 张栗原 / 著

《妇女问题讲话》 杜君慧 / 著

《婚姻 · 子女 · 继承》 沙千里 / 著

《性教育新论》 布士克 雅各生合著 / 董秋斯译

《狱中杂感》 杜重远 / 著

《七人之狱》 沙千里 / 著

《爱迪生传》 伍况甫 / 译

《歌德自传》（上下） 歌德著 / 思慕译

《尼赫鲁自传》 [印度] 尼赫鲁著 / 毕来译

《列宁传》 [苏] 凯尔任采夫著 / 企程 朔望译

《罗斯福总统传》 C. Mackenzie 著 / 张尚之译

《托尔斯泰传》（1–3） [英] 阿尔麦 · 莫德著 / 徐迟译

《革命文豪高尔基》　［美］亚历山大·康恩著／韬奋编译

《鲁迅纪念特辑》　新中国文艺社／编

《回忆鲁迅先生》　萧红／著

《人民文豪鲁迅》　平心／著

《亡友鲁迅印象记》　许寿裳／著

《鲁迅思想研究》　何干之／著

《鲁迅研究》　夏征农／编

《过来的时代：鲁迅论及其他》　雪峰／著

《电影戏剧表演术》　洪深／著

《日常心理漫谈》　［美］约瑟夫·查斯特罗著／曾宝施译

《心理常识漫话》　朱智贤　杨云美／著

《读书的方法与经验》　王任叔／著

《美国黑人生活纪实》　［美］加德维尔　斯坦倍克著／董秋斯译

《初访美国》　费孝通／著

《事业与成功》　［美］马尔腾著／汪原放译

《萍踪寄语（初集）》　韬奋／著

《一生的幸福前途——〈生活周刊〉信箱选集》　生活书店／编选

《深刻的印象》　生活周刊社／编

《海外的感受》　生活书店编译所／编

ISBN 978-7-108-04694-9
9 787108 046949 >
定价：43.00元